EL TAROT EGIPCIO

2ª edición: enero 2022

Diseño de portada: Editorial Sirio, S.A.

C/ Rosa de los Vientos, 64
Pol. Ind. El Viso
29006-Málaga
España

www.editorialsirio.com
sirio@editorialsirio.com

I.S.B.N.: 978-84-16233-66-3
Depósito Legal: MA-763-2015

Impreso en Imagraf Impresores, S. A.
c/ Nabucco, 14 D - Pol. Alameda
29006 - Málaga

Impreso en España

Puedes seguirnos en Facebook, Twitter, YouTube e Instagram.

Martina J. Gabler

El Tarot Egipcio

EDITORIAL
SIRIO

¿Qué es el tarot?

Durante los últimos cuarenta años el mundo occidental ha venido experimentando un interés cada vez mayor en el tarot. La fascinación misteriosa que ejerce sobre muchos de nosotros no deja de acrecentarse. Para empezar, su historia es ya una provocadora mezcla de datos escasos y especulación romántica, mientras que sus símbolos siguen teniendo un fuerte impacto sobre el observador. Hasta su nombre es difícil de clasificar, porque nadie sabe a ciencia cierta el verdadero significado de la palabra «tarot» ni la lengua de la que se deriva. Hay varias teorías al respecto, pero son solo eso: meras teorías. Hipótesis surgidas de la intuición, teñidas de esoterismo y sin una base etimológica definitiva. La mayoría hacen referencia a la lengua hebrea, al latín o a la antigua lengua egipcia. He aquí algunos ejemplos de esos interesantes «palos de ciego»:

Taru, palabra egipcia que, según S. L. McGregor Mathers, podría traducirse como «para consulta» o «lo que requiere respuesta». Mathers fue el principal impulsor y el teórico más prominente de la Orden Hermética de la Aurora Dorada, sociedad ocultista a la que debemos el espectacular resurgir del tarot a finales del siglo XIX.
Torah, que en hebreo significa «ley» y es el nombre dado por los judíos a los cinco primeros libros del Antiguo Testamento.
Troa, que en hebreo significa «puerta».
Orat, que en latín se traduce por «lo que habla».
Taor, que en egipcio antiguo se refiere a *Taur*, dios de la oscuridad.
Rota, que significa «rueda»; para algunos, «tarot» sería un anagrama de ella.
Ta-Rosh, palabra egipcia que significa «el camino real».

Para quienes lo conocen bien, no se trata de un juego, ni tampoco de un mazo de cartas diseñadas con el único propósito de descubrir los acontecimientos futuros, aunque este sea el uso que con frecuencia se le da. En realidad, en muchos aspectos entronca con campos tan complejos como la religión y la psicología. En cuanto a lo primero, es obvio que el tarot, como ocurre con las religiones surgidas entre los seres humanos para hallar respuestas y significados, bebe de las fuentes de la intuición y de la revelación directa. Y con relación a lo segundo, habría material para todo un libro. De hecho se han escrito varios al respecto. Por citar uno, riguroso y de calidad, mencionaré el ensayo de Sallie Nichols *Jung y el tarot*, en cuyas páginas se trenzan de manera apasionante dos grandes tradiciones: el tarot mágico y la psicología arquetípica de Carl Gustav Jung. ¿Y qué son las figuras del tarot sino símbolos arquetípicos? Jung habló mucho sobre estos símbolos o modelos que existen en el inconsciente de todo individuo, y que si bien cuentan con una base histórica, lingüística y psicológica también tienen mucho que ver con la fantasía, la imaginación y el mundo de los sueños. Están justo ahí, en la frontera que delimita ambos espacios. Como dijo Campbell: «Los mitos representan la sabiduría de la especie, mediante la cual la humanidad ha madurado a lo largo de los milenios». O como afirmó R. A. Johnson: «Un mito es el sueño colectivo de un pueblo en un cierto momento de su historia».

Son por tanto imágenes que no se pueden traducir en meras palabras y cuyo mensaje trasciende el pensamiento lógico o lineal. La lectura del tarot demuestra el inmenso poder de la imagen sobre la psique. Sus cartas son mucho más que cartas: son puertas que conducen a otras esferas.

En realidad el tarot es un libro de enseñanzas trascendentales, que puede tener una importancia vital para los buscadores serios, aquellos decididos a esforzarse en pos de la iluminación espiritual y que desean dedicar una parte razonable de tiempo y trabajo al descubrimiento del más profundo sentido de la vida. Quienes profundicen en su estudio descubrirán que su esfuerzo recibe una valiosa recompensa.

Por el contrario, aquellos que busquen en el tarot un método fácil y rápido de desarrollo espiritual se verán defraudados. No existe método fácil. En este campo no hay varitas mágicas. El crecimiento es siempre interior y ese es justamente el campo en el que el tarot es efectivo. Y su función es doble: por un lado, conserva y transmite una profunda enseñanza oculta y por otro, evoca respuestas muy concretas en la persona, esto es, despierta su intuición. De hecho, lo que en realidad hace el tarot es suministrarnos un lenguaje simbólico con el que nos podemos comunicar con un nivel de conciencia diferente al que usamos en la vida cotidiana. Un nivel que no está limitado por las percepciones de los cinco sentidos físicos. Un nivel en el que podemos tener acceso a todo el conocimiento de la humanidad, pasado, presente y futuro.

Historia y leyenda

Una antigua leyenda egipcia hace referencia a un libro de contenido divino y carácter mágico atribuido al dios Thot (quien según algunas tradiciones fue el creador de la escritura, las matemáticas y el ajedrez). Se dice que ese libro estaba formado por setenta y ocho láminas y que fue arrojado al Nilo dentro de seis cofres herméticamente cerrados, uno dentro del otro, el último de ellos totalmente de oro. Dicho libro contenía todo el saber sobre el principio y el fin de la vida. Un conocimiento de tal índole que quien lo hiciese suyo no necesitaría ya nada más, puesto que con él se obtiene cualquier otro conocimiento. Por supuesto, se trata de un saber para el que no está preparado el común de los mortales. Solo el hombre verdaderamente sabio podría descifrar y comprender el verdadero sentido de las figuras plasmadas en los enigmáticos ideogramas de las láminas o planchas que componen tan misterioso libro. Quien lograse esa comprensión sería automáticamente elevado a un nivel superior, semejante al de los dioses. Se vería transformado, descubriría su esencia divina, hallaría su propia divinidad.

> *Aquellos que sean capaces de descifrar los jeroglíficos sagrados descubrirán el misterio de la humanidad y podrán estar al lado de los dioses.*
>
> PROFECÍA DEL DIOS THOT

Para algunos, ese libro legendario y maravilloso que puede hacernos descubrir nuestra propia divinidad no sería otra cosa que el tarot, conjunto de setenta y ocho cartas utilizado en la actualidad con finalidades adivinatorias o como un instrumento de introspección y de autoconocimiento.

Más allá de la leyenda, sabemos que el tarot apareció por vez primera en Europa a finales del siglo XIV. Las primeras cartas, de las que se conservan diecisiete, datan de 1392. Treinta años después, el pintor italiano Bonifacio Bembo creó un juego de naipes para la poderosa familia Visconti. Esta es la baraja de tarot completa más antigua que aún existe en nuestros días, y sus imágenes están ambientadas en el Renacimiento. Pero el hecho es que posteriormente el tarot cayó en el olvido hasta que en el siglo XVIII lo redescubrió el filósofo francés Antoine Court de Gébelin (1728-1784), sacerdote protestante y francmasón, cuyas teorías siempre alcanzaban gran repercusión, un caballero que de haber transitado por la era de la información habríamos calificado de «mediático», quien estuvo siempre convencido de que se trataba de un antiguo libro egipcio que contenía enseñanzas espirituales y secretas.

Aunque, como se ha señalado anteriormente, la mayoría de los eruditos sitúan el nacimiento del tarot en el siglo XIV, no falta quien le atribuya otros orígenes. Uno de ellos es Paul Foster Case, experto estadounidense que escribió numerosos libros sobre el tarot y la cábala durante la primera mitad del siglo XX, para quien el tarot fue compuesto hacia el año 1200 de nuestra era por un grupo de sabios reunidos en la ciudad de Fez, en Marruecos. Otros piensan que llegó del Extremo Oriente, traído por los mercaderes venecianos, pues los primeros juegos de cartas de los que se tiene noticia aparecieron en China alrededor del siglo X d. de C.

Incluso hay quien halla paralelismos evidentes entre el tarot y la tradición hebrea; Eliphas Levi, ocultista francés con un conocimiento tan profundo del tarot que llegó a crear una suerte de «religión» con rituales y creencias, afirmaba que existía una vinculación directa entre los veintidós Arcanos Mayores y las veintidós letras del alfabeto hebreo (curiosamente, los capítulos del libro del Apocalipsis también son veintidós).

Y sin salir del terreno de las grandes religiones, Emile Briffa, en su libro *Todos los símbolos del tarot* expone cómo los Arcanos Mayores comparten simbolismo con las enseñanzas espirituales de la India, en concreto con el budismo: El Loco representaría al *sanyasi* o monje errante. El Emperador y La Emperatriz serían el *siddhana* (rey de los sakyas) y su consorte Maya Devi, que son los padres de Buda. El Carro correspondería al carro de Vishnu. El Ermitaño, El Ahorcado y La Muerte equivaldrían al anciano, el inválido y el muerto que fueron esenciales para la conversión de Buda. Y La Rueda de la fortuna encierra el mismo mensaje que la rueda del karma.

Pero para el ya mencionado Court de Gébelin, para Eteilla –el legendario ocultista que intuyó la relación de aquellas cartas con el ancestral sistema de símbolos egipcio– y para Papus –médico y ocultista galo de origen español, fundador de la Orden Martinista–, entre muchos otros, el origen egipcio del tarot fue siempre indiscutible. Incluso algunos aluden a la tradición adivinatoria gitana como prueba de dicho origen, basándose a su vez en la dudosa teoría del origen agipcio de los gitanos. Esta teoría ha sido insistentemente rebatida por los lingüistas ya que todas las pruebas apuntan a que sus raíces están en el subcontinente indio. Los que siguen empeñados en ella se aferran a varios detalles coincidentes, como la hipótesis etimológica que hace referencia a que la palabra *gypsy* (gitano en inglés) podría ser una abreviatura de *egyptian* (egipcio).

Sin duda, ese halo de maldición que rodea todo lo relacionado con la fascinante civilización de la esfinge ha propiciado que los estudiosos miren en aquella dirección. No en vano, según la leyenda, todos los que tuvieron algún contacto físico con el misterioso Libro de Thot corrieron suertes similares a aquellos que profanaron las pirámides. Como ejemplo citaré un caso que me fascina, el de Frieda Harris, la pintora a quien Alesteir Crowley encargó el diseño del tarot que formaría parte del Libro de Thot que el ocultista preparaba y en el que incluiría la filosofía y el uso del tarot egipcio. En la correspondencia que intercambiaron mientras duró el proyecto, la diseñadora le comentaba cómo había empezado a sentir «una presencia ominosa que guiaba mi mano» al diseñar las cartas, llegando a declarar en una de sus inquietantes epístolas: «Cuando el diseño de los arcanos haya concluido, mi alma pasará a habitar las cartas hasta que alguien [no aclara quién] desentrañe el profundo simbolismo esotérico de mis pinturas». En fin, ya sabemos del temperamento inestable de los artistas y quizás todo formara parte de una crisis nerviosa, pero desde luego la historia es apasionante, digna de un estupendo relato gótico.

Y ya metidos de cabeza en el misterio, por qué no lanzar aquí un órdago: ¿y si estuvieran todos equivocados y el verdadero origen del tarot fuera muy anterior? En la actualidad son muchas las voces autorizadas que, en contra de lo que afirman la arqueología y la historia oficial, sostienen que la civilización egipcia fue una derivación de la desaparecida Atlántida. Lo que con el paso de los siglos y de los milenios daría origen a la conocida civilización egipcia no sería, de este modo, sino una colonia atlante.

Al desaparecer la Atlántida bajo las aguas, no todos sus habitantes perecieron. A unos los salvó su premonición y a otros simplemente la casualidad, pues en el momento del cataclismo se hallaban en otros lugares del mundo por motivos diversos. Además de las construcciones piramidales, son muchos los detalles que enlazan al antiguo Egipto con otras civilizaciones ya desaparecidas, tanto en África como en el continente americano. Todo parece indicar que los habitantes de este planeta ya hemos conocido varios principios y finales. De hecho, los orígenes de un gran número de tradiciones antiguas a lo largo y ancho del planeta se remontan a una civilización anterior enormemente avanzada, que sucumbió a una catástrofe natural, y cuyos supervivientes tuvieron que emprender un éxodo que los llevaría a diferentes lugares donde tuvieron que comenzar de nuevo. Los Vedas hindúes mencionan los famosos días y noches de Brahma, inmensos espacios de tiempo en los que la creación florece –el día– para luego desaparecer durante un periodo de tiempo igual –la noche de Brahma.

Leyendas de un aniquilamiento total seguido de un reinicio las encontramos en diversas culturas, la más cercana a nosotros la del diluvio universal, tomado al parecer del poema épico de Gilgamesh. Incluso el visionario escritor Julio Verne, quien tantas veces se adelantó en sus libros a hechos históricos narrándolos con coincidencias milimétricas sorprendentes, plasmó en su último libro, *El eterno Adán*, el final de la actual humanidad y el inicio de la que vendrá después.

Se dice que antes de que una civilización desaparezca, los individuos más conscientes, los sabios, tratan de dejar para la posteridad un registro de los conocimientos que han alcanzado. Pues bien, el tarot sería exactamente eso, el legado de una civilización desaparecida hace ya mucho tiempo. Tal vez un legado atlante, que encontró su camino hacia nosotros a través del antiguo Egipto.

Tu baraja y tú

Al confeccionar la presente baraja del Tarot Egipcio, el artista Guillermo D. Elizarrarás ha utilizado las clásicas y conocidas figuras del tarot, las mismas que aparecen en el de Marsella o en el Rider-Waite, dejándose llevar por su intuición a fin de plasmarlas en el entorno del antiguo Egipto. Son diseños inspiradores que evocan el mundo simbólico y mágico del desierto y las pirámides, y te invitan a sumergirte en el universo de los sueños y las profecías. Sin embargo, no se trata del llamado tarot egipcio propiamente dicho, en el que algunos naipes difieren del tarot habitual. En esta baraja la interpretación con fines adivinatorios no se diferencia apenas de la que puede darse en cualquier otro tarot.

Este mazo es mágico y se merece un momento mágico, un momento entre tú y él. Debéis formaros una primera impresión uno del otro. Cada una de sus cartas es como una puerta que puede abrirse a otros mundos. Como entre dos extraños cuyo breve cruce de miradas encierra múltiples posibilidades, durante dos minutos, así debe ser entre tú y él.

Después, toma las cartas y barájalas –o no las barajes, como prefieras–. A continuación, cierra los ojos y toma una. Termina de leer este párrafo y luego deja el libro. No te fijes en el nombre ni en el número de la carta, simplemente mira la imagen. Embébete en ella. Descubre su intrincada pero sencilla belleza. Mírala el tiempo suficiente hasta que seas capaz de verla con los ojos cerrados. Entonces cierra los ojos y sigue viendo la carta. Métete dentro de la imagen. Imagina cómo se siente, cómo huele, cómo suena. Experiméntala. Si quieres, puedes hablar con la figura de la imagen. Cuando hayas terminado, vuelve al libro.

Muchas personas, especialmente las que no tienen experiencia con el tarot, se preguntan de dónde procede el significado de cada carta. En realidad, dicho significado es una especie de *collage* de cosas muy distintas; una de ellas ya la conoces. Acabas de experimentar una carta. ¿Qué ha significado para ti? Sea lo que sea que te haya transmitido, es parte del significado de la carta.

Irónicamente, para muchos esta es la parte más fácil y a la vez la más difícil. Mirar una imagen y decir lo que significa es algo que hacen los niños continuamente; sin embargo, para los adultos resulta mucho más complicado. Es como si tuviéramos miedo de equivocarnos. La intuición y la respuesta emocional son muy importantes al leer el tarot y deben ir mano a mano con la interpretación intelectual. Como verás, el tarot tiene mucho que ver con el equilibrio..., el equilibrio de tu mente y tu corazón, de tu cuerpo y tu espíritu.

El tarot es una combinación de arte y estructura que crea una experiencia única. Cuando todo tu ser –tu corazón, tu mente, tu cuerpo y tu espíritu– está involucrado, te hallas en un lugar mágico, abierto a la sabiduría que está oculta en tu interior. Las respuestas y la guía no vienen de las cartas; ellas son solo un instrumento. Las respuestas están en ti, y las cartas únicamente te ayudan a verlas.

En las páginas que siguen aprenderás algunos conceptos básicos sobre el tarot, que formarán la base a partir de la cual podrá volar tu intuición. Encontrarás también instrucciones completas para realizar una lectura. Al final del libro figura una colección de tiradas. Con todo esto estarás preparado para realizar tus lecturas y hallar las respuestas que estás buscando.

Hoy todo el saber del enigmático tarot está en tus manos: tómalo como tu oráculo de cabecera al que puedes acudir siempre que quieras y consultar tus avatares particulares, tus cuitas, tus inquietudes, de manera llana y lúdica. Te aseguro que pasarás ratos apasionantes

Vas a emprender un viaje de autoconocimiento con una serie de imágenes que han sido creadas para inspirarte y un libro que te señalará el camino. Con ambos te podrás poner en marcha, pero de ti dependerá totalmente el lugar adonde decidas ir.

Los arcanos

Empezaremos con la estructura de la baraja del tarot. Como sabes, existen muchos tarots distintos, al igual que otros tipos de «oráculos» con cartas. Los naipes del tarot, al contrario que otros oráculos que también utilizan cartas, tienen una estructura específica. La comprensión de esta estructura incrementará tu capacidad a la hora de interpretar las tiradas.

Dicha estructura es fácil, siempre que conozcas las cartas de la baraja normal. Podemos decir que el tarot se compone de dos partes: los Arcanos Mayores y los Arcanos Menores. La palabra «arcano» significa «secreto» y el camino para desvelar ese secreto es dejarse llevar por los estímulos visuales que la imagen nos envía (esto es especialmente válido en el caso de los Arcanos Mayores). Esos estímulos conducen a estados mentales y te sorprenderá comprobar que dichos estados coinciden con la interpretación general de la carta (detallaré las interpretaciones a continuación). Y aunque el tarot que ha llegado a nuestros días es una mezcla de elementos de diferentes culturas (con el paso del tiempo los arcanos han ido impregnándose de elementos celtas, escandinavos, cristianos, islámicos, griegos...) pasada por el tamiz del aporte personal del artista que lo diseñe, esa alquimia entre imagen y estado mental continúa funcionando. El tarot sigue siendo universal y no deja de crecer, mutar y evolucionar, manteniendo su misterio y su poder.

Los Arcanos Mayores

Ciertamente, los nombres de todos y cada uno de los Arcanos Mayores tienen una connotación esotérica. Los Arcanos Mayores son los «grandes secretos». Al contrario que los menores, que tienen que ver con los sucesos de cada día, los mayores representan los acontecimientos trascendentales, hitos, aspectos espirituales de nuestro propio ser y asuntos que están más allá de nuestro control. Los Arcanos Mayores están numerados del 0 (El Loco) al 21 (El Mundo).

Cada uno de ellos tiene un nombre propio y tradicionalmente se emplean los números romanos. Aunque son bastante complejos, su nombre insinúa ya algo de su significado básico. El Loco es alguien inocente, y tal vez un poco alocado. La Sacerdotisa es alguien con un profundo conocimiento intuitivo. La Rueda de la Fortuna tiene que ver con los cambios de suerte y con los ciclos de la vida. La Luna está relacionada con los sueños, las sombras y los engaños.

Para Jung, los arcanos del uno al once (El Mago, La Sacerdotisa, La Emperatriz, El Emperador, El Hierofante, Los Amantes, El Carro, La Justicia, El Ermitaño, La Rueda de la Fortuna y La Fuerza) representan la lucha del individuo contra los demás, mientras que el resto (El Ahorcado, La Muerte, La Templanza, El Diablo, La Torre, La Estrella, La Luna, El Sol, El Juicio Final, El Mundo y El Loco) simbolizan la lucha del hombre contra sí mismo. En ambos casos, habla de lucha pero no en el sentido beligerante, sino en el sentido de evolución a lo largo del camino.

A este respecto, muchos estudiosos han llegado a la conclusión de que los veintidós Arcanos Mayores constituyen una unidad compacta, forman un todo, cuentan una historia. Narran un viaje que no es otro que el peregrinaje del hombre hacia su meta espiritual, hacia la expresión total de su ser. Una ruta ascendente de la ignorancia a la sabiduría.

Cuando en una lectura aparecen Arcanos Mayores, debes recordar que siempre representan sucesos o experiencias significativos o bien envían un mensaje directo a tu ser más profundo. Y al examinar la imagen deberás tener siempre en cuenta el nombre de la carta para que forme parte de tu interpretación. Algunos de esos nombres encierran en sí mismos su significado al referirse a cualidades, como La Fuerza o La Templanza. Otros hablan de personajes, como El Loco, El Mago, El Emperador o El Ermitaño, y hay también cartas con nombres vinculados con la astrología, como El Sol, La Luna o La Estrella. Finalmente, algunos con solo leerlos nos hacen sentir cierta inquietud, como La Muerte o El Ahorcado.

Además de sus significados estructurales, con el tiempo, las cartas del tarot han desarrollado lo que muchos consideran significados «tradicionales». En la explicación sobre cada arcano que incluyo a continuación he tenido en cuenta ambos significados más la esencia simbólica y esotérica de cada figura, para facilitarte así una comprensión más profunda de su visión y ayudarte a desarrollar tu relación personal con las cartas. Estas, especialmente los Arcanos Mayores, pueden tener muchos niveles de significado, y al mismo tiempo hay muchas formas de ver esos significados, por lo que cada artista muestra una faceta particular. Por ejemplo, El Hierofante tiene que ver con la enseñanza tradicional. Dependiendo del punto de vista, su significado puede ser de estancamiento e incluso represión, o bien de apoyo y protección. Cada pintor tiene una perspectiva única, al igual que tu respuesta ante la imagen, el nombre y el significado tradicional de cada carta son también únicos.

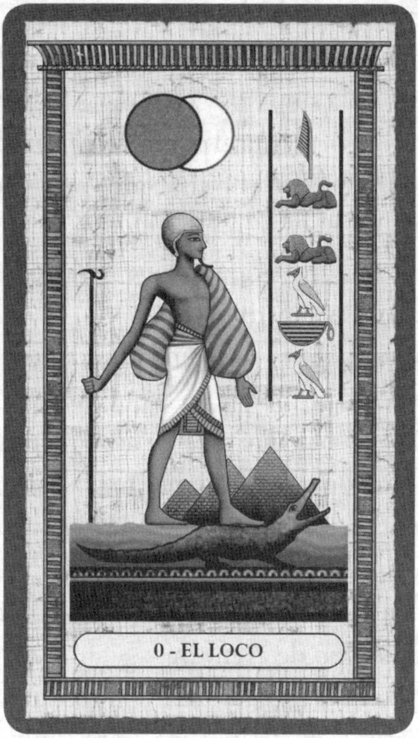

0 - EL LOCO
El espíritu

Imagen: el joven trotamundos viaja libre y temerario con un fardo al hombro y un cetro en la mano. Un cocodrilo trata de frenar su marcha, pero él camina confiado y enérgico.

El Loco es la personificación de la inocencia absoluta. El cero es la nada, pero también es el símbolo de las infinitas posibilidades. Como no hay experiencia previa, todas sus acciones son puras; ignora las dificultades, desconoce lo que se va a encontrar en su viaje, pero abraza cualquier acontecimiento que salga a su paso, y esos retos lo harán madurar.

Este arcano representa el potencial ilimitado. Una mente sin prejuicios desborda entusiasmo, no conoce el miedo ni las dudas. Es un hombre niño que vive en el aquí y ahora, que no reprime su creatividad y que deja volar su imaginación confiando en sus instintos.

La aparición de esta carta en la tirada nos habla de una situación inesperada e inédita en la que cualquier cosa puede suceder y en la que hay que dejarse llevar llenos de entusiasmo y energía. Puede que los demás te observen con inquietud y no entiendan los riesgos que estás asumiendo, pero no debes dejarte afectar; mira en tu interior y te sorprenderá descubrir que no hay temor y que puedes confiar en tus corazonadas. Es tiempo de aventuras.

El Loco te anima a seguir tus impulsos, tus extravagantes ideas; eres un ser original y creativo, pero también te avisa del peligro de caer en la dispersión y en las excentricidades sin fundamento. La frontera es muy fina; sin embargo, si eres fiel a ti mismo, la distinguirás.

Palabras clave: impulsividad, inocencia, aventura, creatividad, imaginación, viaje, pionero, originalidad, descubrimientos, genialidad, pureza, independencia.

Invertida: cuidado con los actos irreflexivos; si la carta aparece invertida, los riesgos son reales y el optimismo puede degenerar en irresponsabilidad. También advierte de que no es lo mismo la inocencia que la ingenuidad o el atolondramiento. Peligro por imprudencia. Irresponsabilidad.

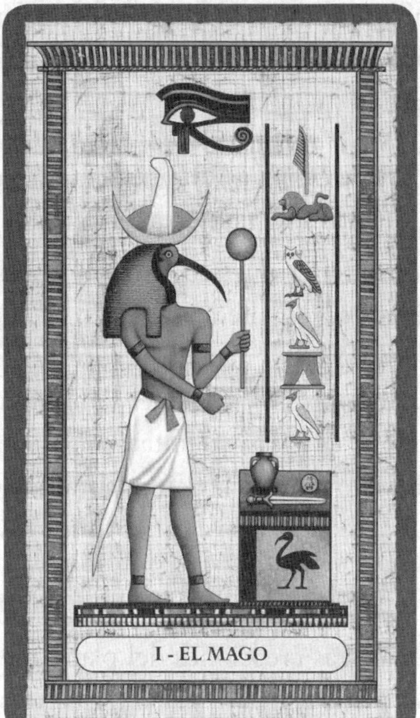

I - EL MAGO

La voluntad

Imagen: El Mago, erguido y en pie, con la vara mágica en alto, recibe los poderes del universo y los canaliza en la Tierra. La piedra cúbica que tiene frente a él simboliza el altar, lo sólido, el trabajo intenso.

Número: el uno. El principio, el elemento masculino creador, la originalidad, la iniciativa.

Primero es el pensamiento y luego la voluntad lo convierte en acontecimiento. Todo lo que existe fue pensado antes, fue nombrado antes. El Mago primero imagina y luego crea. Su realidad es la que él elige. Para crearla solo necesita voluntad, decisión y confianza.

La aparición de esta carta en la tirada nos indica que si actuamos como El Mago –con decisión y enfoque–, podemos convertir nuestros sueños en realidad. Y en esa empresa el universo conspirará a nuestro favor, indicándonos los pasos que debemos seguir mediante sincronicidades, coincidencias, señales varias y encuentros fortuitos y oportunos. Cualquier nuevo proyecto, sea en el campo que sea, llegará a buen término gracias a la voluntad y a la complicidad del cosmos (el empeño unido a la fe inquebrantable).

El consultante tiene a su alcance todos los medios para materializar ideas y propósitos. Si realmente sabe lo que quiere y por qué lo quiere, sin titubeos o dudas, es el momento de actuar. Las creaciones del plano mental se verán reflejadas en el plano físico. El deseo y la certeza generarán la actitud correcta y, por tanto, el éxito.

Palabras clave: voluntad, empuje, potencial, pensamiento racional, creatividad, comunicación, acción.

Invertida: incapacidad, desidia, bloqueo de las energías creativas, miedo a salir de la zona de confort. Indecisión y pereza. La carta puede indicar que aunque todo está a favor y tienes las habilidades y los medios, no le estás sacando partido, no estás canalizando. También puede advertir sobre un comportamiento excesivamente mental y calculador que degenera en fría manipulación (en este sentido puede hablar del propio consultante o bien advertirle sobre alguien).

II - LA SACERDOTISA

La sabiduría

Imagen: La Sacerdotisa, sentada en su trono y con la luna a sus pies como símbolo de lo femenino y lo subconsciente, representa a Isis coronada con el disco solar. Sostiene un pergamino que es el libro de la vida, un libro sagrado, un libro trascendental.

Número: el dos. La dualidad, el elemento femenino.

Así como El Mago nos habla de la transformación en el plano exterior, de logros externos, La Sacerdotisa se refiere al triunfo interior, al viaje hacia uno mismo. Ella y él tienen a su favor medios, habilidades y circunstancias, pero el ámbito de acción es bien distinto. El Mago es la razón; La Sacerdotisa, la intuición. El Mago señala acción y diligencia; La Sacerdotisa, introspección, paciencia y reflexión. Es el momento de permanecer atentos a todo aquello que nos llega no por canales intelectuales, sino por canales sensitivos.

La Sacerdotisa simboliza el principio femenino, lo receptivo, la intuición. Si la consulta es sobre relaciones, esta carta indica siempre sentimientos profundos tanto en el amor como en la amistad. También puede representar a una mujer concreta, alguien en la vida del consultante. Una mujer misteriosa, reservada, carismática, inalcanzable en apariencia (las cartas que la acompañen en la tirada tendrán mucho que decir sobre esto último).

La Sacerdotisa aconseja una actitud prudente y sosegada frente al objeto de consulta, quizás incluso mantenerse absolutamente pasivo. A través del equilibrio y la observación serena se logrará captar e interpretar lo que susurra el inconsciente así como manifestarlo en nuestro mundo cotidiano. También avisa de posibles envidias generadas por logros o ascensos (prudencia de nuevo).

Palabras clave: paciencia, serenidad, reserva, intuición, meditación, misterio, misticismo.

Invertida: puede indicar que tu actitud ante el tema de consulta está siendo demasiado racional; ignoras tu voz interior, y escucharla sería lo acertado ahora. También habla de sentimientos reprimidos. Otra indicación posible es que dependes demasiado de la confirmación o aceptación externa para tomar decisiones mientras permaneces sordo a la auténtica respuesta, la que trata de dictarte tu inconsciente.

III - LA EMPERATRIZ

La fecundidad

Imagen: sentada con toda dignidad, irradia luz y vida. Su benevolencia es evidente y todo en ella es sensual y fértil.

Número: el tres. La renovación, el renacimiento, la procreación, la expansión.

La figura deLa Emperatriz simboliza a la madre, la capacidad de gestar y dar vida. Lo que se ha estado sembrando estará listo para la cosecha muy pronto. Es tiempo de abundancia, de fertilidad en cualquier ámbito (ideas creativas, nuevos proyectos, buenos resultados, bienestar material, buen momento para invertir).

Si aparece esta carta en la tirada, augura que la acción emprendida será fructífera, ya que la tierra es fértil y el entorno está exento de peligros. La madre naturaleza es generosa y regala vida incondicionalmente. A su amparo todo florece y da fruto a su debido tiempo. Ese tiempo ha llegado. Es un tiempo de recibir, de vencer obstáculos y dejarlos atrás con alivio y satisfacción.

Si representa a alguien concreto en la vida del consultante, suele referirse a la madre o a una persona muy maternal y protectora, por quien el consultante puede sentirse arropado, alguien tolerante, comprensivo. Asimismo, puede indicar embarazo o nacimiento.

Palabras clave: cosecha, creatividad, abundancia, fertilidad, maternidad, naturaleza, nacimiento.

Invertida: algo está impidiendo el avance de los proyectos. La energía creativa está bloqueada. También puede advertir de que todavía no es el momento indicado para cosechar, o bien sobre el resultado negativo de un negocio en curso. Podría señalar un embarazo no deseado o infertilidad. Si la carta representa a una persona, invertida nos habla de alguien excesivamente protector, que chantajea emocionalmente, o bien de una mujer insegura, obsesionada con la estética, con miedo a envejecer, susceptible, inestable.

IV - EL EMPERADOR

El control

Imagen: sentado en su trono, seguro de su poder. Irradia una fuerza sólida y equilibrada. En esta baraja está representado por Horus, dios celeste iniciador de la cultura egipcia.

Número: el cuatro. Concreción, claridad, orden, autoridad.

El Emperador es un arcano poderoso. Representa el orden y la autoridad, así como las figuras que los personifican:

padre, patriarca, jefe, gobierno, juez... Nos habla de un hombre justo y analítico, que protege y ama, pero manteniendo la distancia y aplicando una férrea disciplina. Al igual que La Emperatriz, es un arcano relacionado con factores terrenales, materiales, concretos.

Es el principio masculino y, por lo tanto, la carta en la tirada nos indica acción y razón. En este momento, sea cual sea la cuestión consultada, la cabeza debe dominar al corazón. Probablemente el consultante se halle ante una situación caótica, desnortada, y este naipe le aconseja asumir el control y organizarse. También indica obstáculos, pero obstáculos vencibles si se adopta la esencia de El Emperador (o quizás con la ayuda de una figura que encaje en la descripción de este arquetipo). La conquista requiere esfuerzo, pero es posible.

Palabras clave: concentración, enfoque, fuerza, liderazgo, autoridad, ley, orden, disciplina, madurez.

Invertida: el guía, el noble líder, se ha convertido en tirano. Puede referirse al propio consultante o a alguien de su entorno a quien este ha de poner límites o con quien debe cortar lazos para evitar el sometimiento. También indica problemas legales o advierte de una resistencia irracional hacia cualquier figura de autoridad. En general habla de desorganización y caos. La dispersión lleva consigo el debilitamiento y la derrota. El consultante ha de buscar el equilibrio, restablecer el orden en su vida.

V - EL HIEROFANTE

La tradición

Imagen: su tocado recuerda a la tiara pontificia y por la posición de sus brazos parece estar enseñando, adoctrinando.

Número: el cinco. La persuasión, la selección.

El Hierofante personifica la ortodoxia; por ese motivo, muchos tarotistas lo asocian con instituciones religiosas. Su significado primitivo sí estaba directamente relacionado con la autoridad religiosa; sin embargo, con el paso del tiempo la figura de El Hierofante (el papa en la mayoría de los tarots occidentales) ha ido adquiriendo un valor simbólico, y en las tiradas de consulta, que suelen orbitar sobre los más diversos temas, lo habitual es interpretarlo a un nivel más general.

El naipe aconseja al consultante asumir lo aceptado socialmente, seguir el ritual, no apartarse del grupo. No es buen momento para realizar cambios revolucionarios ni para reivindicar la individualidad a cualquier precio. Aunque el espíritu libre se resiste, hay veces en que lo más sabio es seguir al rebaño, acatar protocolos y formalismos, dominar las pasiones sean del tipo que sean.

Palabras clave: conformismo, reglas, dogma, sistema, mandamiento, convención, tradición, protocolo, formalismo.

Invertida: si la carta de El Hierofante nos habla de que el grupo puede ser enriquecedor, invertida viene a decir todo lo contrario: el grupo y las normas pueden ser sofocantes. Se ha caído en un exceso de dogmatismo, la ortodoxia se ha llevado al extremo y ha devenido en intolerancia feroz. También señala hipocresía. Otra interpretación, sin embargo, podría ser ruptura con lo establecido y apertura a nuevas formas de pensamiento; la carta invertida puede estar aconsejando un enfoque menos convencional para el asunto de la consulta. También indica precaución con sectas y mafias.

VI - LOS AMANTES

La elección

Imagen: un hombre y una mujer hermosos se miran a los ojos y se toman de las manos arropados y bendecidos por los rayos del astro rey.

Número: el seis. La reciprocidad; dualidad reposo y movimiento, propio e impropio; el deseo erótico y la tentación.

La interpretación más obvia sería una relación sentimental, y es una opción válida, pero la carta es mucho más compleja y dependiendo del ámbito sobre el que gire la consulta, los matices son múltiples. Es una carta relacionada siempre, de un modo u otro, con la dualidad, tanto la dualidad interna –la energía masculina y la energía femenina que coexisten en nuestro interior– como la externa, que puede presentarse en forma de encrucijada o referirse a emociones encontradas.

Si señala un dilema, la elección será entre dos opciones completamente antagónicas, maniqueas incluso. El consultante se encuentra en la bifurcación del camino en dos senderos, el de la luz y el de la oscuridad. Un camino fácil y hedonista y otro más arduo, pero más justo y ético. Altruismo frente a egoísmo; tentación frente a renuncia.

A pesar de lo que pueda parecer por lo hasta ahora dicho, se trata de una carta positiva, siempre y cuando la interpretación estimule al consultante a hacerse responsable de sí mismo y, desde el ejercicio de su libre albedrío, tomar la decisión correcta.

Si, como decía al principio, este arcano hace referencia a una relación sentimental, dependiendo de las cartas que lo acompañen en la tirada debe interpretarse de una manera u otra. Puede representar una unión poderosa, en su máximo apogeo, en un punto de gran atracción mutua, una unión ya establecida o que está a punto de surgir, o bien, volviendo a la esencia de dualidad y encrucijada, hablar de la necesidad de elegir entre dos amores, o del imperativo de renunciar a algo (una actividad, un tipo de vida, una amistad...) en favor de esa relación. En este sentido también hay una posible lectura de adulterio o de relación clandestina con alguien ya comprometido (lo que entroncaría con la dualidad «tentación frente a virtud»).

Palabras clave: unión, romanticismo, dualidad, elección, encrucijada, dilema, duda.

Invertida: sin abandonar el matiz de dualidad, indica que el consultante es incapaz de tomar una decisión y se mueve, por tanto, en un territorio ambiguo y deshonesto. Si la interpretación tiene que ver con una relación ya establecida, significa ruptura, y si se trata de una expectativa amorosa, esta no fructificará. Otras lecturas de la carta invertida o mal aspectada pueden ser: celos, promiscuidad, relaciones tóxicas, perversión, etc.

VII - EL CARRO

La victoria

Imagen: el auriga tensa decidido el arco, no se percibe ni el más mínimo temblor. Su pulso es firme y confiado. Mientras, los caballos avanzan ágiles y veloces.
Número: el siete. Concentración, suficiencia, foco.

Encaramado a su flamante carro, el consultante avanza sin titubeos. No es un carro de recreo, es un carro de combate: se está librando una gran batalla, pero él se sabe vencedor.

Nada puede detenerlo, el carro es impulsado por la energía del éxito.

Este arcano simboliza la decisión y el impulso que nos llevan a competir y ganar, siempre que sepamos dirigirlo y que pongamos toda nuestra atención y voluntad en el aquí y ahora.

En una tirada esta carta indica que habrá lucha, quizás ya la hay, pero el carro atropella los conflictos y arrolla los obstáculos. Lo único que se requiere es avanzar sin distracciones, mirando hacia delante sin perder de vista el objetivo. Es una carta excelente que anuncia victoria. Probablemente el asunto en cuestión nos haya llevado al límite de nuestras fuerzas, pero el descomunal esfuerzo tendrá recompensa. Los enemigos serán vencidos, tengan la forma que tengan: problemas económicos, un tercero en una relación, una enfermedad...

El consultante ha sufrido, ha tenido miedo, pero ha asumido ese temor y lo ha superado. Si El Emperador instaba a prescindir de lo emocional en favor de lo racional, el hombre que guía el carro sabe que las emociones no deben reprimirse, sino canalizarse, usarse en pos del objetivo que se desea conquistar.

Una carta excelente, que habla de logros importantes, acontecimientos de gran relevancia en la vida del consultante.

Palabras clave: victoria, triunfo, conquista, perseverancia, combate, determinación.

Invertida: derrota, desastre. En lo económico, dificultades y pérdidas. Puede seguir indicando victoria, pero esta será poco ética, se tratará de un triunfo sucio. Habla de arrogancia, exceso de confianza, engreimiento, soberbia. Puede referirse también a una relación sexual frustrante. Asimismo, puede indicar que la determinación que marca este arcano se manifiesta en su opuesto más extremo: la parálisis. La mente está dispersa, los objetivos no son claros.

VIII - LA JUSTICIA

El equilibrio

Imagen: una mujer personifica la justicia y la ley del karma. Sujeta en una mano la balanza (el equilibrio) y en la otra la daga (el poder). Su aspecto es impasible, hasta parece sonreír.

Número: el ocho. Evolución e involución, luz y sombra, cooperación, justicia.

Todos los sucesos presentes son el resultado de acciones, estados y acontecimientos pasados. Se trata de la ley de causa y efecto, una de las leyes inmutables del universo, y sobre ella nos habla este arcano.

La carta de La Justicia puede hacer referencia a la justicia de los hombres, a la justicia terrenal, pero su auténtico significado profundo tiene que ver con los principios invisibles que mantienen el fluir de la existencia mediante ciclos causales infinitos.

No se obtiene lo que se espera o lo que se desea, se obtiene lo que se merece. La vida es justa, aunque a veces nos parezca todo lo contrario y creamos vivir a merced de una suerte caprichosa, otorgada arbitrariamente. Si la carta aparece en la tirada, señala que ha llegado el momento de ajustar cuentas para bien o para mal. Si el consultante se siente culpable de algún acto pretérito, quizás haya llegado el momento de asumirlo y responder. O tal vez lo que está a punto de obtener es la recompensa por una noble acción pasada.

Si la consulta se refiere al terreno económico, este naipe nos está indicando que las dificultades por las que atravesamos en este momento son consecuencia de nuestra propia falta de previsión. El invierno ha llegado y el almacén de la cigarra está vacío.

Pero ojo, en este devenir causal, al igual que los actos pasados son el origen de la situación presente, los actos presentes marcarán los acontecimientos futuros. La carta de La Justicia, por tanto, también puede ser una advertencia: cuida tus acciones y asegúrate de no hacer algo de lo que puedas arrepentirte después. Quizás el consultante dude si algo que tiene previsto hacer es justo o no, y eso es causa de preocupación.

En su interpretación más obvia y «doméstica», este arcano puede hacer referencia a tribunales y asuntos legales de toda índole. Y en ese ámbito, su aparición indica que el fallo será favorable al consultante (si eso es lo justo, claro está; el consultante tiene la respuesta en su interior). También habla de contratos (que se firmarán). Algunos tarotistas no dudan en asegurar un futuro contrato matrimonial aparece acompañado por el as de oros, el as de copas o El Hierofante.

En términos generales, es una carta positiva, ya que habla, como he dicho, de hacer justicia, de poner las cosas en su lugar. Aunque en este momento el consultante no pueda entenderlo, pase lo que pase, será para bien.

Palabras clave: recompensa, castigo, equilibrio, justicia, objetividad, equidad, responsabilidad, raciocinio, causa y efecto.

Invertida: con todo lo dicho anteriormente, es fácil deducir la otra cara de la moneda. El antónimo más evidente de justicia es injusticia. La carta invertida nos habla de contrato incumplido, de mal resultado en un asunto legal o económico. Pero la injusticia también puede suponer una recompensa injusta. Otra interpretación es como toque de atención: se está juzgando a alguien con severidad excesiva o se está siendo injusto en alguna situación.

IX - EL ERMITAÑO
La soledad

Imagen: es un anciano –la barba blanca simboliza la sabiduría–, y sin embargo camina completamente erguido, derrochando magnificencia. Con la mano izquierda sujeta el báculo y en la derecha porta la lámpara: la luz con la que iluminará el camino de todo el que quiera seguirlo en la búsqueda interior.

Número: el nueve. La comunicación del pensador con su pensamiento y la cosa pensada, sabiduría, devoción, generosidad.

Si El Hierofante nos guiaba hacia el grupo, nos aconsejaba la norma y el orden establecido, El Ermitaño marca el sentido contrario. Es momento de alejarse del mundo y de ponerlo todo en duda. La verdad no llegará de fuera, las respuestas no están en el mundo exterior. El Ermitaño sabe que cuando uno está preparado, la luz es revelada en la oscuridad y que para que emane la sabiduría no puede haber distracciones. Hay que huir del «ruido», pero no solo del ruido mundano sino también del generado por la confusión interior. El silencio y la soledad son ahora necesarios.

Cuando ha aprendido a acallar los ruidos y ha descubierto la luz de la verdadera sabiduría, El Ermitaño recoge su lámpara y vuelve al mundo.

Es un arcano asociado con el estudio, con el trabajo aplicado, con la madurez en su más amplio sentido. Puede indicar la aparición en la vida del consultante de un ser de luz y sabiduría, un consejero sosegado y bondadoso en un momento trascendental.

La carta de El Ermitaño indica la necesidad de una pausa, de un retiro. Tienes que hacerte consciente de la dirección que le estás dando a tu vida y reevaluarla. Tal vez debas solucionar un problema concreto o tal vez hay algo en ti, en tu ser, que tengas que armonizar antes de seguir adelante. Detente y aléjate de toda distracción para resolverlo. Los asuntos mundanos pueden esperar, hay una tarea mucho más esencial que no puedes posponer. Es necesario que la resuelvas ahora y que lo hagas en soledad. Atempera tu espíritu, y adelante.

Según qué cartas lo acompañen y qué posición ocupe en la tirada, El Ermitaño también puede hacer referencia a relaciones personales indicando en tal caso sentimientos profundos que no se manifiestan, amores platónicos. A menudo se refiere directamente al celibato, ya sea voluntario o no.

Si la consulta es de ámbito económico, el consejo de este arcano, en consonancia con todo lo que hemos visto hasta ahora, sería austeridad

Palabras clave: soledad, silencio, retiro, verdad, aislamiento, introspección, reflexión, paz de espíritu, iluminación, meditación, contemplación.

Carta invertida: suele indicar un exceso respecto al mensaje de la carta. Te has aislado demasiado; herido, te has alejado del mundo de manera indefinida y desde la herida, la soledad no debe alargarse no debe enquistarse, ya que eso solo conduce a la depresión, a la no vida. Lame tus heridas y regresa.

X - LA RUEDA DE LA FORTUNA

El destino

Imagen: en la rueda, tres enigmáticos personajes. A la derecha está Horus con cabeza de halcón. Pero cualquier posición es momentánea porque la rueda no cesa de girar.

Número: el uno (10 = 1 + 0 = 1).

La circunferencia es la manifestación del fluir continuo de los acontecimientos. La Rueda de la Fortuna simboliza el cambio, el movimiento y la transformación. Cada principio lleva a un final y en cada final está el germen de un nuevo comienzo.

Esta carta ilustra los vaivenes y los altibajos de la vida, los giros inesperados en nuestra historia personal (inesperados y sin embargo esperables, pues nada permanece). Como dijo don Quijote: «Sábete, Sancho, que no es un hombre más que otro, si no hace más que otro. Todas estas borrascas que nos suceden son señales de que presto ha de serenar el tiempo y han de sucedernos bien las cosas, porque no es posible que el mal ni el bien sean durables, y de aquí se sigue que, habiendo durado mucho el mal, el bien está ya cerca. Así que no debes congojarte por las desgracias que a mí me suceden, pues a ti no te cabe parte dellas».

En una tirada, La Rueda de la Fortuna siempre indica un cambio radical, drástico, de un polo a otro. De modo que el cambio que señala este arcano afectará al consultante dependiendo del lugar en el que se encuentre. Si se halla en lo alto de la rueda, el giro lo derribará, pero si está bajo la rueda, el giro lo liberará y lo elevará, incluso podría hacerlo subir a lo más alto.

Por dura que sea la caída, no puede considerarse una carta negativa, al menos no categóricamente. El mensaje esencial habla de dinamismo, de energía constructiva porque cada final es la semilla de un principio. Y cuando el consultante comprenda el mensaje que hay detrás de la caída, su mente se abrirá, el universo también se abrirá ante él y verá la lógica del «Todo», el mapa completo.

En este sentido relacionado con el fluir cíclico de la vida, este arcano también puede encerrar un mensaje de advertencia: obsérvate y detecta si hay algo que se repite inefablemente en tu vida, si hay una piedra en la que reiteradamente te golpeas. Por el bien de tu evolución, es fundamental que la reconozcas; quizás está impidiendo tu llegada a algún «lugar».

En un terreno más concreto y doméstico, dependiendo de la temática de la consulta, La Rueda de la Fortuna nos habla de encuentros inesperados, nuevas relaciones y otras antiguas que se afianzan, éxito en temas comerciales y suerte en los juegos de azar (buen momento para apuestas y loterías). También marca un fin de ciclo, el comienzo de una nueva etapa, o incluso un viaje inesperado.

Palabras clave: oportunidad, ciclo, etapa, suerte, éxito, cambio, principio, fin, ascenso, caída.

Invertida: mala racha, no es momento de asumir riesgos ni de confiar en el azar. Fracaso en algún negocio o empresa. Situación nueva e inesperada que resultará vertiginosa y requerirá de mucho coraje.

XI - LA FUERZA

El dominio

Imagen: una mujer que serenamente, hasta con dulzura, abre con sus manos las fauces del león al tiempo que acaricia su cabeza. La fiera parece hipnotizada.
Número: el dos (11 = 1 + 1 = 2).

Cuando los miedos son conquistados y el autoconocimiento nos blinda contra espejismos y opiniones, la paz de la madurez se instala en nosotros. No tiene que ver con la edad, sino con la fuerza interior, esa fuerza gracias a la cual las circunstancias externas ya no nos esclavizan ni nos limitan. Ya no luchamos contra «la fiera» porque la hemos domado. Y no la hemos domado a golpe de látigo sino con templanza y susurros. Ahora podemos acariciarla sin temor.

Esta carta señala en primera instancia que el consultante tiene todos los elementos para dominar cualquier situación que se le esté presentando. Sus armas, que nada tienen que ver con la violencia, son la fe, la voluntad y la confianza en sí mismo. La perseverancia por fin da fruto.

La Fuerza simboliza la capacidad para canalizar los momentos difíciles y seguir avanzando sin perder el dominio sobre uno mismo y sobre el entorno. La inteligencia y el autocontrol vencen a los impulsos. Esta carta nos habla de alguien de personalidad brillante y noble, que desborda vitalidad y capacidad de liderazgo, que es de trato amable pero en absoluto servil (la amabilidad y el respeto empiezan por uno mismo, y el individuo simbolizado en esta carta lo sabe). El coraje y la energía son sus atributos principales.

En la tirada indica un momento idóneo para iniciar proyectos y para dar un paso hacia delante sea cual sea el ámbito de la consulta (pedir un aumento, montar ese negocio soñado, iniciar una relación...). Si este arcano aparece en un momento de desánimo, el consultante debe preguntarse si realmente se ha esforzado al máximo, si realmente está dando lo mejor de sí. La carta lo anima a sacar fuerzas (fuerzas anímicas), a poner toda la carne en el asador. No debe abandonar, la Fuerza le está diciendo que justo en el momento presente es capaz de acometer empresas que en otras circunstancias le podrían resultar inalcanzables o demasiado arriesgadas.

Según las cartas que lo acompañen en la tirada, la interpretación de este arcano puede tomar otra dirección que, sin llegar a ser la opuesta (no se trata de la carta invertida), sí tiene un matiz bien distinto. Tal vez el consultante está presionando demasiado, tal vez está obsesionado y enfocado en exceso, y la indicación de este arcano en tal caso es la retirada: la fuerza aplicada en exceso se anula a sí misma. La paciencia puede ser la mayor de las fuerzas.

Palabras clave: fuerza interior, sabiduría, ánimo, determinación, vitalidad, paciencia, salud, carácter, resistencia, persistencia.

Invertida: el miedo nos ha paralizado y el tren pasó, o está a punto de pasar. Flaquezas, ausencia de empuje y energía para realizar algo que hemos tenido a nuestro alcance. Temor al cambio, miedo a lo desconocido. También puede representar agresividad, violencia, crueldad, excesiva vehemencia. Mientras uno no esté armonizado, mientras no haya integrado las propias luces y sombras, la fuerza interior no aparece; la carta invertida indica poner atención en ese proceso personal no cristalizado. Necesitas comprenderte a ti mismo antes de pasar a la acción.

XII - EL AHORCADO

El sacrificio

La imagen: un hombre cuelga cabeza abajo, con las manos atadas y la pierna libre flexionada. Sin embargo su rostro no refleja tormento, sino serenidad.

Número: el tres (12 = 1 + 2 = 3).

Aunque la iconografía de este arcano resulta inquietante, incluso desagradable, no es una carta oscura. Si bien es cierto que su aparición en la tirada anuncia problemas o contrariedades, no es menos cierto que se trata de la clase de dificultades que nos obligan a abrirnos a nuevas perspectivas y, por tanto, a la larga, acarrean circunstancias positivas.

Precisamente, la postura de El Ahorcado no es casual: aparece colgado cabeza abajo para invitarnos a un cambio de perspectiva. El consultante necesita un nuevo punto de vista, debe modificar su forma de ver la vida. De pronto algo inesperado hace que todo se dé la vuelta; las viejas certezas dejan de serlo, pierden su significado, y la confusión entonces es inevitable.

En realidad de lo que habla El Ahorcado es de sacrificio, de sacrificio voluntario. Un sacrificio que aceptamos libremente porque sabemos que el momento lo pide. No hablo de masoquismo ni de ser un mártir, hablo de entender lo que la vida trata de decirnos y de aceptar que hay que sacrificar algo que creemos importante para seguir avanzando. Tal vez se trate de un empleo en el que nos hemos estancado y que está anulando nuestro talento, o de una carrera equivocada, o de una relación que no llega a ninguna parte... O tal vez tenga que ver con rígidos principios o creencias obsoletas que nos están impidiendo crecer y alcanzar nuestra auténtica esencia. En la mayoría de los casos no se trata de una renuncia física sino más bien de dejar atrás una perspectiva o un punto de vista.

A veces la necesidad de prescindir de algo no es tan obvia ya que se trata de algo o alguien aparentemente beneficioso; en ese caso es más complicado para el consultante identificar el objeto de sacrificio. No es fácil asumir que se han alimentado falsas esperanzas, espejismos o negaciones... Lamentablemente, las cosas son lo que son, no lo que queremos que sean. Este arcano nos recuerda el enorme alivio que se puede hallar al renunciar a un sueño inalcanzable.

En este sentido El Ahorcado también puede representar a una persona que vive de fantasías, que elude la realidad y la disfraza hasta creerse sus propias ensoñaciones. O bien a una persona victimista que crea en su mente agravios y vive absorta en sus dramas prefabricados.

Palabras clave: sacrificio, nueva perspectiva, desapego, dificultades, confusión.

Invertida: El Ahorcado en posición invertida sigue hablando de sacrificio pero o bien nos indica un sacrificio inútil o bien nos señala uno necesario que el consultante no está dispuesto a asumir. También puede mostrar la resistencia a romper con el pasado o con un apego paralizante, excesiva rigidez, empecinamiento inútil.

XIII - LA MUERTE

La transformación

Imagen: El dios Anubis, el señor de las necrópilis, relacionado con la muerte pero también con la resurrección (transformación), aparece vigilando la balanza de Osiris. Ha llegado la hora del juicio, la hora de pesar los corazones.

Número: el cuatro (13 = 1 + 3 = 4).

Si El Ahorcado habla de sacrificio voluntario, La Muerte indica sacrificio impuesto. Sin embargo, a pesar de la connotación negativa que el término «muerte» conlleva en Occidente y a pesar también de lo siniestro de la imagen, esta carta rara vez habla de una auténtica tragedia. La mayoría de los tarotistas solo la asocian con sucesos dramáticos si va acompañada de El Ahorcado, o de algunos naipes de espadas (en concreto el tres, el nueve o el diez de espadas).

Su significado no es tan concreto y no habla de muerte en sentido literal. Es cierto que anuncia destrucción, final, pero en un sentido mucho más amplio. Lo que indica sin lugar a dudas es un cambio radical, normalmente inesperado y a menudo doloroso (una ruptura sentimental, la pérdida de un empleo, el final de una amistad...). Puede referirse también a la *muerte* de una parte de nosotros mismos, quizás un estilo de vida, quizás la inocencia, quizás un sueño.

Al igual que la muerte, suele tratarse de un acontecimiento inevitable, y al igual que la muerte también, ese acontecimiento formará parte del devenir cíclico de la propia existencia. La vida es una cadena de pequeñas muertes y pequeños renacimientos, de comienzos y finales. Por cada despedida hay una bienvenida, y de una pérdida canalizada positivamente pueden surgir la creatividad y la reinvención de uno mismo. También toda muerte es un descanso y con toda muerte se completa algo.

En cualquier caso, aunque desdramaticemos, no hay que perder de vista la seriedad de este arcano. Siempre es una carta contundente que indica un momento intenso y crucial en la vida del consultante.

Palabras clave: final, transformación, renacimiento, cambio, transmutación, renovación, completitud.

Invertida: incapacidad para aceptar cambios y finales, pánico al abandono, apego, estancamiento, apatía, indolencia. Habrá problemas si no se impone un reciclaje, una innovación.

XIV - LA TEMPLANZA

La moderación

Imagen: una mujer vierte agua de una vasija a otra; los recipientes representan los opuestos y el intercambio de líquido simboliza la búsqueda del equilibrio.

Número: el cinco (14 = 1 + 4 = 5).

La Templanza alude a la moderación, a la paciencia, a la acción ecuánime, correcta y oportuna. La armonía y la integración son la clave, sea cual sea la consulta. Esta carta nos habla de afrontar las circunstancias de una manera menos tensa, menos áspera, de compasión y perdón para con los demás, y de sosiego y temple para con nosotros mismos. Se trata de un arcano de buen augurio que asegura el éxito. No se tratará de un triunfo inmediato, pero la mesura y la tenacidad al final rendirán sus frutos.

Es una carta tranquilizadora; si el consultante se encuentra en una situación controvertida, puede estar tranquilo: bastará un poco de buena voluntad para que la armonía se imponga; si ha discutido con algún ser querido, habrá reconciliación; si se ha sentido mal, pronto volverán el bienestar y la salud. Y es también una carta que avisa: es momento para la moderación y el autocontrol, por lo que el consultante debe evitar cualquier exceso. La paz interior es un arma poderosísima (por muy paradójico que esto suene). Cuando uno está en paz consigo mismo, fluye con las circunstancias; no hay lucha ni fracaso. La serenidad lleva al avance paciente, pero dinámico, y a la consecución de metas.

Palabras clave: serenidad, equilibrio, reconciliación, moderación, tolerancia, armonía, autocontrol, paz interior, ecuanimidad.

Invertida: situación difícil que requerirá de todas las cualidades positivas mencionadas anteriormente. Ansiedad que incapacita para canalizar la energía hacia algo positivo. Impulsividad que lleva a errores, pérdidas y rupturas. Excesos de todo tipo. Desequilibrio.

XV - EL DIABLO
La esclavitud

La imagen: un ser con cabeza de macho cabrío sujeta con una mano una serpiente y con la otra un cetro. La serpiente simboliza el poder del mal y el cetro, la transmutación.
Número: el seis (15 = 1 + 5 = 6).

El Diablo es la oscuridad: la oscuridad de una celda, de un calabozo, de un zulo; esta carta está directamente relacionada con cualquier tipo de cadenas.

A veces no es fácil detectar qué es lo que nos aprisiona, lo que nos bloquea; en ocasiones la cadena es de oro y nos parece una bendición aunque nos ate. Quizás somos esclavos sin saberlo. Este arcano invita, cuando menos, a la reflexión. Su aparición en la tirada advierte al consultante sobre una situación tóxica, improductiva, limitadora. A menudo se refiere a relaciones pasionales, abusivas, dominantes, que anulan. Incluso puede apuntar al maltrato (psicológico o físico), porque esta carta tiene connotaciones graves que pueden hacer referencia a asuntos que están como mínimo al filo de la ilegalidad.

También puede hablar de yugos más sutiles de los que ni siquiera somos conscientes. Porque el diablo se instala en la mente y no hay nada más esclavizante que un pensamiento obsesivo, sea cual sea su objeto (una persona, una idea, una herida...). En este grupo de tiranos mentales entrarían las adicciones, que son los carceleros más duros: no solo aprisionan, también torturan.

Es probable que tu «reclusión» te esté llevando directamente a un estado depresivo, porque lo que en realidad muestra El Diablo es que has perdido el control de tu vida y ya no eres dueño de ti mismo. Reacciona. Abandona la desidia y recupera tu esencia. El primer paso consiste en asumir que estás encerrado, atado, sometido, y el siguiente es luchar por liberarte. Nadie tiene poder sobre ti, a menos que tú se lo entregues.

Palabras clave: encadenamiento, esclavitud, sometimiento, prisión, dependencia, obsesión, violencia, opresión, adicciones, relación tóxica.

Invertida: si aparece invertida, es una buena noticia: El Diablo pierde gran parte de su poder y no le es tan fácil mantenerte oprimido. Las cadenas se van aflojando, estás empezando a controlar el miedo y pronto volverás a estar al mando.

XVI - LA TORRE

La destrucción

Imagen: un rayo poderosísimo ha alcanzado la pirámide. El edificio ha sido destruido y dos figuras se precipitan desde lo alto.

Número: el siete (16 = 1 + 6 = 7).

Un rayo está a punto de derribar la gran pirámide. Un cataclismo se cierne sobre el consultante; a su paso todas las fantasías caen, las falsas ilusiones se desploman envueltas en una nube de polvo. La imagen es desoladora pero pronto sabrá que en el lugar al que se dirige no las necesita.

Las crisis que aparecen abruptamente son auténticos despertadores espirituales. Algo andaba mal y no queríamos o no podíamos verlo y remediarlo. Algo nos estalla en la cara. La Torre anuncia un desengaño inevitable. Será doloroso pero es necesario como cuando el traumatólogo debe recolocar el hueso en su lugar: el dolor es espantoso pero tras el alarido todo encaja, todo funciona de nuevo. O como la bofetada oportuna que detiene el ataque de histeria.

Tal vez solo los muy evolucionados puedan recibir este tipo de seísmos con agradecimiento y alegría; sin embargo, lo que sí puede hacer el común de los mortales es no dejarse llevar por la desesperación. Aunque nada más caer el rayo es imposible que lo comprendas, en realidad ha sucedido lo mejor que podía suceder: ese rayo te forzará a hacer algo que por ti mismo nunca habrías hecho.

La carta también puede ser una advertencia: no te aferres a lo establecido, no te apegues a una supuesta seguridad. Suelta, deja ir suavemente y sin frustraciones; de ese modo evitarás la gran caída.

En un nivel más psicológico, la caída de La Torre simboliza el derribo de esa fortaleza llamada ego. Si has estado escondiendo tu yo real entre gruesos muros, el rayo de la verdad los echará abajo. El acontecimiento «dramático» anunciado por esta carta, por duro que sea, te salvará de tu propia coraza y podrás comenzar de nuevo desde tu auténtica esencia. Y, créeme, eso es maravillosamente liberador.

Palabras clave: cataclismo, cambio dramático, ruptura, caos, pérdida, crisis, colapso, separación, destrucción, caída.

Invertida: ante el cataclismo, te has quedado paralizado, sumido en la autocompasión. Eres incapaz de canalizar lo sucedido, de levantarte, sacudirte el polvo y caminar. No has entendido que a veces lo que deseamos no es lo que necesitamos.

XVII - LA ESTRELLA
La esperanza

Imagen: una hermosa joven con el torso desnudo vacía dos vasijas en un lago o un estanque. Una estrella inmensa ilumina la escena. Todo irradia paz en la escena –hasta parece oírse el susurro del agua.
Número: el ocho (17 = 1 + 7 = 8).

La lluvia de rayos cesó y los escombros han sido retirados. Tras la caída de La Torre, llega la armonía. La noche es tranquila y la suave luz de La Estrella te indica el sendero correcto y bendice tu camino. En este nuevo escenario, el consultante podrá alcanzar todo su potencial. Una profunda paz brota de su interior y siente que todo fluye como debería. Esta carta marca el comienzo de un ciclo en el que la clave será una actitud positiva, actitud que abrirá todas las puertas y convertirá en rectas todas las curvas.

La Estrella es sin duda una de las mejores cartas del tarot; simboliza el éxito, la armonía y la buena fortuna. La energía inagotable que te llega desde ella te proporciona el aliento y la lucidez que necesitas para continuar dichoso tu camino.

Si el consultante está atravesando un momento oscuro, tempestuoso, este arcano simboliza el faro que lo guiará hasta tierra firme. No debe temer nada, la salvación está asegurada. Y una vez en tierra y a salvo, la inspiración le indicará adónde dirigir su fe y su energía creativa (esta carta está directamente relacionada con el arte y la belleza y favorece todas sus manifestaciones). La Estrella nos asegura que por fin, tras la larga y dura travesía, el consultante hallará la paz y la felicidad que merece. Solo necesita confiar en sí mismo y en el universo, abrir el corazón, dar y darse sin miedos ni dudas.

En el ámbito de los afectos, esta carta es indicio de sentimientos profundos y sinceros. Anuncia armonía familiar y felicidad conyugal y promete nuevos encuentros enriquecedores y fascinantes.

Palabras clave: armonía, paz, esperanza, suerte, ilusión, confianza, inspiración, belleza, deseos cumplidos, dicha.

Invertida: pesimismo y dudas que impiden ver las oportunidades y gozar de todo lo que la vida nos está ofreciendo. Negatividad, ausencia de energía e ilusión. Pasividad. Sin embargo, no hay nada perdido; normalmente solo indica un retraso a la hora de recibir las bondades que este arcano anuncia.

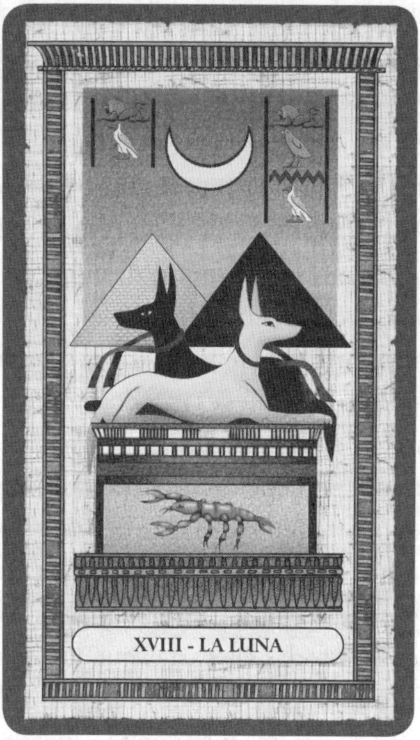

XVIII - LA LUNA
La distorsión

Imagen: tanto las pirámides como los perros y el escorpión que las guardan aparecen bañados por la luz azulada de la luna.
Número: el nueve (18 = 1 + 8 = 9).

La Luna nos conecta con el mundo de los sueños, con lo femenino, y con las profundidades del subconsciente. Es por tanto una carta cargada de misterio. A la luz de la luna todo adopta cierto aire de irrealidad, las sombras azuladas nos confunden. Hay que tener mucho cuidado con las ilusiones equívocas y con la distorsión de las formas. Es fácil extraviarse.

Esta carta nos habla de autoengaño, de dificultades para distinguir entre lo real y lo ilusorio. Quizás el consultante haya perdido el rumbo y camine desnortado y confundido, andando en círculos, convencido de estar avanzando. La Luna viene a indicarle que debe buscar el sendero real y concretar sus propósitos. Es necesario despertar y dejar caer la venda: algo no es como parece y lo aconsejable en este momento es aguzar la percepción y extremar la vigilancia.

Este arcano también habla de miedos, esos temores indefinidos que nos atenazan en plena noche. Puede indicar ansiedad, angustia, incluso paranoia y depresión (siempre teniendo en cuenta todas las cartas que lo acompañen en la tirada). Y al mismo tiempo (las dos caras de la luna) nos habla de un estado de gracia en lo que se refiere a la intuición. La clave consiste en, a través de esta, encontrar el modo de combatir aquellos miedos.

Si la consulta es en el ámbito profesional, este arcano supone un buen augurio para todos los trabajos relacionados con la creatividad y la imaginación.

Palabras clave: fantasías, sueños, engaño, distorsión, opacidad, depresión, desconcierto, imaginación, espejismo, miedo.

Carta invertida: no niega ni contradice lo expuesto anteriormente, pero sí indica que el velo está cayendo y que pronto verás con claridad y sin distorsiones.

XIX - EL SOL

La vitalidad

Imagen: el sol, astro rey, padre de la existencia, derrama vida sobre una majestuosa joven que la recibe con los brazos abiertos.

Número: el uno (19 = 1 + 9 = 10 = 1 + 0 = 1).

Nada puede evitar que el astro rey salga cada mañana. El simbolismo de El Sol es universal e indiscutible: luz, fuerza, majestad, poder, esplendor... Es el heraldo del éxito.

Este arcano representa la energía y la culminación, y su interpretación va indefectiblemente asociada al entusiasmo, a la abundancia, a la alegría y a todo aquello que trae luz a nuestros días. Su aparición en la tirada suele significar un gran acontecimiento en la vida del consultante. Si se trata de una consulta de trabajo, indica éxito asegurado, proyectos consolidados, el puesto soñado, el aumento esperado... Y lo mismo se puede extrapolar a las relaciones, a la economía y a la salud. Y el triunfo se da no tanto por circunstancias externas como por la fuerza que irradia desde su interior el propio consultante. Es el momento de brillar, de derrochar atractivo y encanto, de disfrutar de los éxitos sociales y profesionales. Está en el centro del escenario y el cañón principal lo sigue adondequiera que vaya. No solo es aceptado, es reclamado y querido. Hay otra posible interpretación más gráfica y más obvia: un viaje, unas vacaciones a un lugar soleado, a un paraíso tropical tal vez. Al fin y al cabo, un merecido descanso tiene mucho que ver con la culminación, el éxito y el fin de un ciclo. Relájate y disfruta.

Palabras clave: vitalidad, abundancia, luz, brillo, éxito, risa, energía, calor, felicidad, optimismo, vacaciones, placer, prosperidad.

Carta invertida: al igual que La Estrella en posición invertida, usualmente solo indica un atraso con respecto a lo anunciado por la carta. Hay densos nubarrones, pero si cambias de actitud, desaparecerán y el astro rey derramará sobre ti todo lo prometido.

XX - EL JUICIO FINAL
La verdad

Imagen: la barca que navega por el Nilo subterráneo hacia el mundo de ultratumba. Anubis, dios de los muertos, señor de la necrópolis, acompaña al espíritu del fallecido.
Número: el dos (20 = 2 + 0 = 2).

Asociamos El Juicio Final con lo apocalíptico. Cuando nos mencionan esta carta, de inmediato nos vienen a la mente las obras de los grandes maestros de la pintura en las que se recrea, con bastante tenebrismo, el fin del mundo. En todas ellas, sin duda marcadas por el oscurantismo religioso de la época, el tema central es el espantoso castigo de los pecadores. Sin embargo, este arcano no debe asociarse con condenas o abismos, sino con la redención y la luz.

Su aparición en la tirada bien puede interpretarse con la expresiva frase «borrón y cuenta nueva», con todas las connotaciones de alivio y renacimiento que esta conlleva. Ha llegado el momento de saldar las deudas, olvidar las culpas propias y ajenas, lamer las heridas, asumir los errores (sin flagelos) y empezar de cero.

El Juicio Final nos habla de echar un último vistazo al camino recorrido, sin detenernos demasiado –lo justo para reflexionar sobre lo hecho hasta ahora–, y dirigirnos hacia el futuro, tal y como deseamos que sea, sin lastre alguno. Tras ese vistazo lo que toca es asumir y soltar. Asumir la responsabilidad –el momento actual es consecuencia de nuestras elecciones pasadas– y soltar los rencores y las culpas.

De esta limpieza profunda nacerá una fuerza espectacular que impulsará al consultante hacia un objetivo nuevo e inspirador. Sin duda, es una carta positiva: la oportunidad de reinventarse, de recomenzar, solo puede traer alivio y estímulo. Las posibilidades son infinitas y además ahora las afrontas con lecciones aprendidas.

Como ocurre con todos los Arcanos Mayores, el mensaje también puede ser mucho más literal (depende del motivo de la consulta y del resto de los naipes presentes en la tirada) y referirse a auténticos juicios (si va acompañado de La Justicia, la interpretación es evidente) o al hecho de juzgar a los demás o ser juzgado por ellos.

Palabras clave: renacimiento, redención, juicio, regeneración, renovación, nueva vida, resurrección, evolución, transformación, fin de ciclo, aprendizaje.

Carta invertida: obcecación. Estancamiento en una situación negativa. Resistencia al cambio (en todos los casos puede referirse a relaciones, trabajos, circunstancias limitadoras, entorno...). El miedo te paraliza y por ello te aferras a lo conocido aunque lo conocido te esté boicoteando. Quizás el consultante sí tenga deseos de liberarse, pero no encuentra el modo, no es capaz de ver la puerta de salida; en ese caso, el resto de las cartas de la tirada le darán pistas valiosas.

XXI - EL MUNDO

La realización

Imagen: una joven toca el arpa sentada en el suelo; en las cuatro esquinas, los cuatro elementos (faraón-agua, águila-aire, toro-tierra, león-fuego). Todo está en orden y la música que la joven hace sonar celebra la plenitud.

Número: el tres (21 = 2 + 1 = 3).

La felicidad que anuncia esta carta es más definitiva y firme que la que revela El Sol. No hay euforia ni dicha exuberante; el sentimiento es más bien de plenitud serena. Se trata de algo más profundo, más definitivo.

Este arcano le dice al consultante que ha llegado el momento de que su auténtica esencia se materialice. Ha alcanzado sus metas (ya sean económicas, sentimentales, sociales, un éxito artístico, un descubrimiento científico o, incluso, la iluminación espiritual) y se ha convertido en la mejor versión de sí mismo.

El Mundo habla de logro, de materialización de deseos, de cumplimiento de expectativas. Es la carta de la recompensa, del bienestar material y emocional. Eres el amo del mundo, tienes el éxito asegurado. Un éxito con poso, con enjundia, quizás no espectacular, pero tampoco pasajero. Es la carta del hombre realizado y sereno que ha alcanzado la tierra prometida.

Es especialmente positiva en todo lo referente a las relaciones afectivas y amistosas, para las que promete armonía y felicidad. También augura encuentros afortunados relacionados con viajes.

En definitiva, es una carta llena de buenos presagios, que confirma que todo ha fluido correctamente y que todo está en donde tiene que estar. A un nivel más profundo, pero en esta misma línea, simboliza la conexión con todo lo que nos rodea y con la conciencia universal, un estado de comunión absoluta y de comprensión profunda. Una bendición.

Palabras clave: plenitud, protección, armonía, bendición, iluminación, éxito, meta alcanzada, unidad, tarea realizada, liberación, consagración.

Invertida: la mayoría de los tarotistas consideran que este arcano tan especial no se ve afectado por el hecho de encontrarse en posición invertida.

Los Arcanos Menores

Si los Arcanos Mayores representan arquetipos universales relacionados con el crecimiento interior y con cuestiones anímicas y espirituales, los Arcanos Menores son mucho más concretos y prácticos. Como su propio nombre indica, representan pequeños secretos o aspectos de nuestra vida cotidiana y hablan de causas y consecuencias, es decir, de las razones que nos impulsan a actuar y de las posibles implicaciones de nuestros actos.

Coinciden con la baraja de juego tradicional y, exactamente igual que esta, se dividen en cuatro palos: bastos, copas, espadas y oros (tréboles, corazones, picas y diamantes, si se trata de la baraja francesa). Cada palo se compone de diez cartas numeradas más cuatro figuras de la corte (rey, reina, sota y caballo). Las figuras suelen representar a personas concretas en la vida del consultante y las numeradas se rigen por una suerte de numerología:

- As: nuevos comienzos, potencial, principio de un ciclo.
- Dos: dualidad, equilibrio, relaciones.
- Tres: creatividad, nacimiento, crecimiento.
- Cuatro: estabilidad, estructura, estancamiento.
- Cinco: conflicto, incertidumbre, inestabilidad.
- Seis: comunicación, solución de un problema, equilibrio.
- Siete: reflexión, evaluación, estimación.
- Ocho: movimiento, fuerza, progreso.
- Nueve: compromiso, compasión, espiritualidad.
- Diez: culminación, perfección, final de un ciclo.

Sin embargo, dependiendo del palo al que pertenezca, los matices en la interpretación de cada naipe son múltiples y, al igual que los Arcanos Mayores, cada Arcano Menor encierra su propio significado.

Los bastos

Simbolizan la energía masculina, el cetro, el poder y la fuerza. Su elemento es el fuego. Su interpretación tiene que ver con asuntos relacionados con el aspecto profesional, el mando, el trabajo, el esfuerzo y los instintos más primarios.

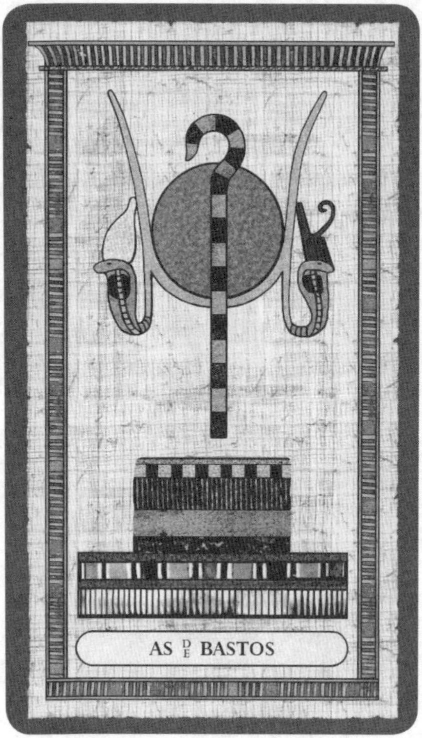

AS DE BASTOS

Indica nueva actividad, nuevo negocio, rebosante energía creativa que ha de canalizarse de manera concreta. Entusiasmo, iniciativa.

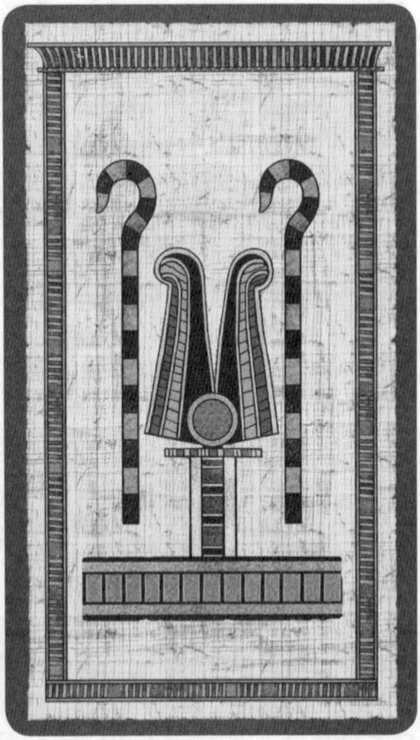

DOS DE BASTOS

Asociación profesional productiva y armónica. Aconseja la búsqueda de un socio, la formación de una sociedad. Alianza, cooperación.

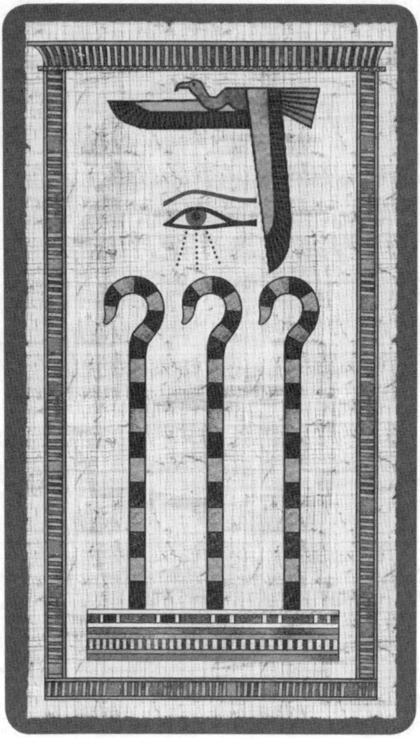

TRES DE BASTOS

Todo lo contrario a la anterior. El esfuerzo debe ser individual –no es momento para asociarse– y augura éxito en las iniciativas en solitario. Excelente carta para misántropos emprendedores y para aventureros.

CUATRO DE BASTOS

Seguridad material. Ambiciones satisfechas y negocios coronados con éxito. Es la carta del trabajo bien hecho. El consultante ha cumplido su misión y ha conseguido las metas que se había propuesto. Ahora puede relajarse y celebrar.

CINCO DE BASTOS

Señala competencia feroz, rivalidad, desacuerdos. Es una carta que anuncia problemas, pero no problemas graves, más bien situaciones tensas, conflictos solucionables aunque no sin esfuerzo. La mejor forma de encararlos es tomarlos como desafíos.

SEIS DE BASTOS

Victoria absoluta. Es la carta de la consumación, el brillo, la fama. Decisiones inteligentes, actuaciones oportunas. Sin duda, la mejor carta de este palo.

SIETE DE BASTOS

La situación que marca este arcano va a exigir mucho coraje de tu parte. Tus enemigos van a pasar a la acción y bajo ningún concepto debes evitar la contienda. No te repliegues, reacciona con contundencia. Si no te achicas, controlarás la situación y tus límites quedarán marcados. Otra interpretación, en la misma línea, indica que es buen momento para la osadía, para asumir riesgos.

OCHO DE BASTOS

Excelentes noticias están al caer, pero será una llegada tan súbita que puede sorprenderte fuera de juego. Estate atento y no titubees; las oportunidades hay que atraparlas al vuelo. Es probable que se trate de una oferta de trabajo que supondrá un cambio radical en tu vida.

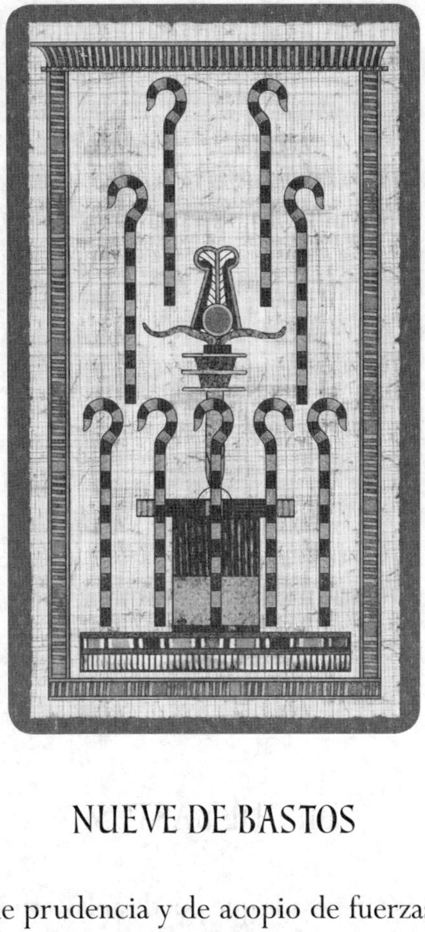

NUEVE DE BASTOS

Carta de prudencia y de acopio de fuerzas; no es momento de arriesgar sino más bien de cuidar lo conseguido hasta ahora. Si la acción es inevitable, el consultante debe acometerla con máxima cautela. La energía no ha de ser desperdiciada.

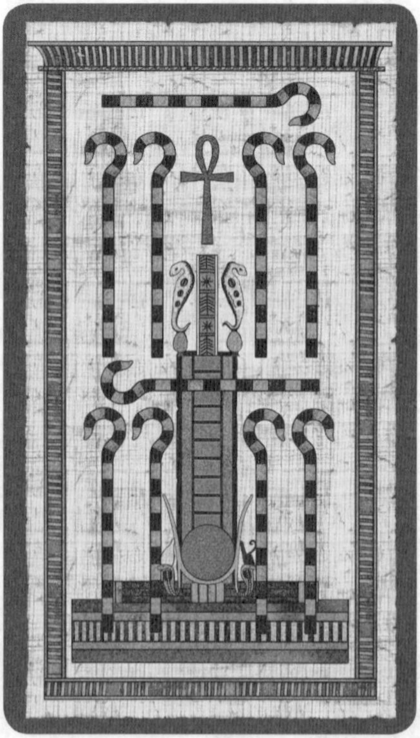

DIEZ DE BASTOS

La carga es tan pesada que puede aplastarte en cualquier momento. Te has –o te han– exigido demasiado y el sobreesfuerzo te va a pasar factura. Es la peor carta de este palo. Es tiempo de parar, de aligerar la carga y de pedir ayuda. No debes prolongar la situación, o sufrirás un colapso. Es una carta que habla de opresión, de estrés, de desgaste.

SOTA DE BASTOS

Representa a una persona joven, dinámica, positiva y llena de vitalidad, lo que en un nivel más general puede traducirse en buenas noticias, en actividad inteligente, energía creativa, acciones positivas y optimismo.

CABALLO DE BASTOS

Joven impetuoso, fascinante y atractivo que derrocha carisma, pero también puede pecar de arrogante. Es impulsivo y tiene carácter; sin embargo, no hay maldad en él. En un nivel más general, estos rasgos pueden traducirse como aventura, cambios bruscos, momentos excitantes.

REINA DE BASTOS

Mujer segura de sí misma, independiente, tal vez autoritaria y más entregada a su faceta profesional que a su vida personal. Pero no es adicta al trabajo, simplemente disfruta de su actividad porque le gusta lo que hace. Es una mujer atractiva y fuerte, muy activa. Su energía parece inagotable. La carta puede hablar de una persona concreta con esas características o bien indicar al consultante que esa actitud es la que le conviene.

REY DE BASTOS

El monarca simboliza al hombre poderoso. Es un hombre maduro, acostumbrado a ejercer el liderazgo. Sabe contagiar y transmitir energía y seguridad. Es el jefe respetado, la figura de autoridad admirada. Si no representa a una persona en particular, puede indicar o bien la necesidad de potenciar estas cualidades en uno mismo o bien éxito y crecimiento profesional, coronación.

Las copas

Simbolizan la energía femenina y representan lo receptivo, lo intuitivo. Su elemento es el agua. Son el palo de los sentimientos y las emociones, del amor y del arte.

AS DE COPAS

Es el amor en todas sus formas. Es la carta del enamoramiento: augura el comienzo de un romance o el afianzamiento y refuerzo de una relación ya existente. Plenitud emocional. Amor sin cortapisas no solo conyugal sino también maternal, fraternal o de cualquier otra índole.

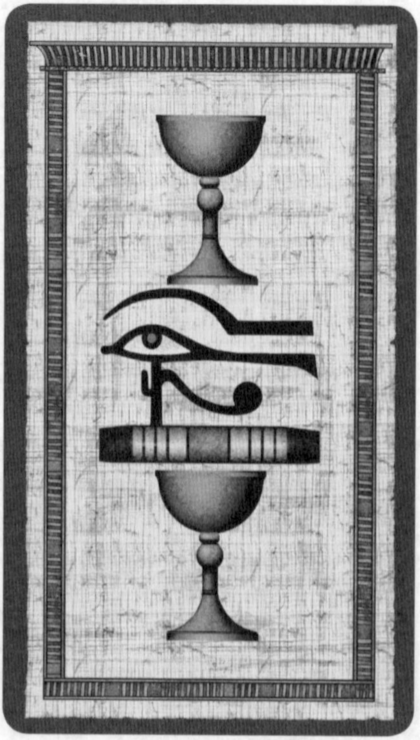

DOS DE COPAS

Las almas gemelas. Si el as es la carta del romance, el dos es la carta de la unión profunda, del vínculo vital. La compenetración es plena en todos los planos: físico, intelectual y emocional. Dos seres en uno. Augura compromiso, matrimonio, vida en común.

TRES DE COPAS

Es la carta más chispeante de los Arcanos Menores. Simboliza la felicidad contagiosa y expansiva, habla de fiesta de celebración, de cantar y bailar, de compartir la plenitud y el optimismo. Vida social llena de armonía y diversión.

CUATRO DE COPAS

Si el tres era la fiesta, el cuatro es la resaca; si el tres era la euforia, el cuatro es la depresión tras los excesos. La palabra que mejor define el mensaje de este arcano es «hastío»: lo que antes te hacía vibrar, ahora te aburre; has caído en la rutina y sientes un enorme vacío. Insatisfacción y malestar. Esta carta le está diciendo al consultante que quizás haya llegado el momento de buscar motivaciones más profundas, de superar la frivolidad y darle un nuevo sentido a su vida. Madurar es la clave.

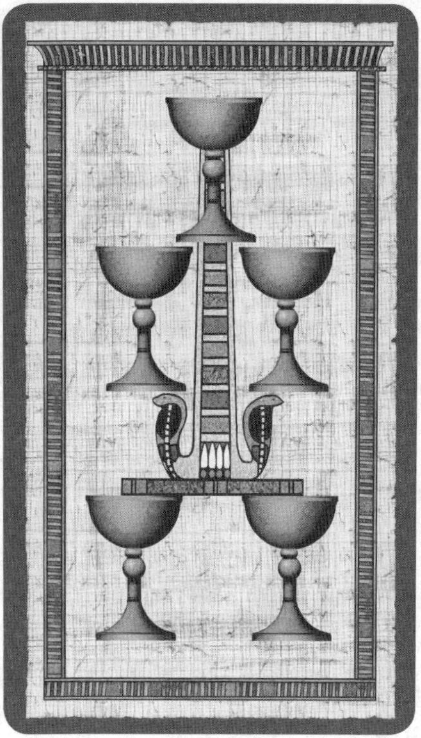

CINCO DE COPAS

Decepción, pérdida. Es la carta más negativa de este palo. Augura tristeza. La pérdida de la que habla es una pérdida irreparable, quizás una esperanza incumplida, una desilusión sin vuelta de hoja. El único consuelo en este caso es saber que no hay mal que cien años dure.

SEIS DE COPAS

Todas las interpretaciones posibles tienen que ver con el pasado. Puede ser la reaparición de un antiguo amor, la vuelta de un amigo de la infancia o un proyecto retomado. También puede indicar que estás en un momento nostálgico, que añoras a alguien o que idealizas los viejos tiempos. A veces es bueno recordar, pero procura no aferrarte a ello; eso puede hacer que pierdas oportunidades presentes.

SIETE DE COPAS

Es la carta de la imaginación y la fantasía; puede indicar talento creativo, temperamento artístico. Sin embargo, su aparición en una lectura suele interpretarse más bien como una advertencia: la imaginación abre innumerables puertas, pero también puede confundirnos y guiarnos hacia proyectos descabellados. Tal vez estés alimentando expectativas irreales y eso, además de suponer un tremendo –y estéril– gasto de energía, nos condena irremediablemente a la frustración.

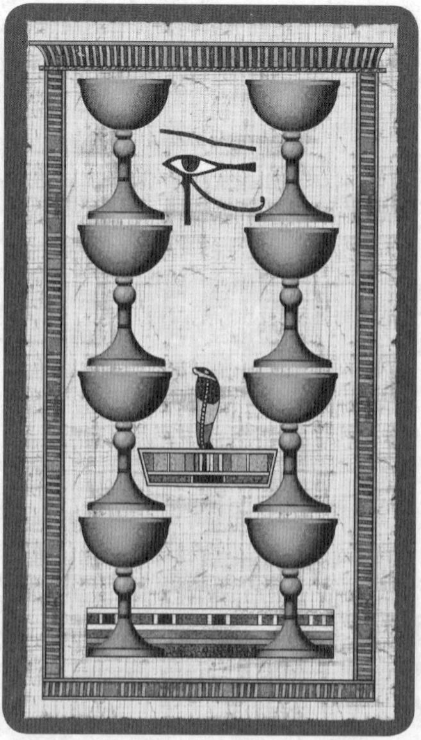

OCHO DE COPAS

Es momento de soltar, de no apegarse, de dejar ir lo que ya no funciona. Quizás el consultante se resiste a asumir que una relación ha terminado. Es difícil decir adiós, pero aún peor es dejar que los lazos emocionales se enquisten por miedo a la soledad; eso solo puede traer más desamor y dolor. Es una carta de despedida. Al ser el palo de las emociones, suele relacionarse con una ruptura sentimental, pero también puede indicar cambio de trabajo o de lugar de residencia. En definitiva, un ciclo acaba y otro comienza; hay que tener coraje y dar el paso.

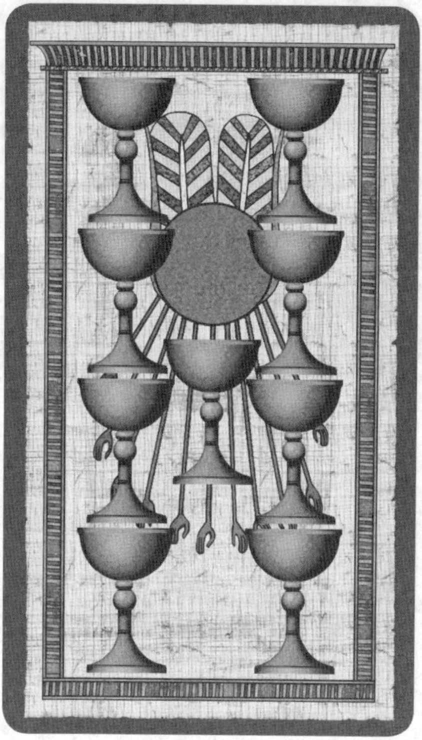

NUEVE DE COPAS

Es la carta del hedonismo y de los deseos cumplidos. Anuncia bienestar y sueños que se hacen realidad en cualquier ámbito. Aunque el buen augurio tenga especial incidencia, al tratarse de este palo, en los asuntos amorosos, lo cierto es que puede extenderse a lo económico y lo profesional. Es el disfrute, *la vie en rose*, el placer sensual... El único consejo es saborear la dosis justa y perfecta y no caer en los excesos.

DIEZ DE COPAS

Al igual que el nueve, el diez de copas anuncia felicidad, pero se trata de una dicha mucho más profunda que el goce prometido en el naipe precedente. Tiene que ver con la paz interior, con la plenitud personal –su análogo entre los Arcanos Mayores sería El Mundo–. Y esa armonía interior tiene su reflejo en la realidad exterior: vida familiar, trabajo, amistades..., todo fluye, estás exactamente donde tienes que estar. Has encontrado tu lugar en el mundo. Sin duda, la mejor carta del palo de copas.

SOTA DE COPAS

Representa al joven poeta, al artista sensible, dulce e introvertido. Un músico, un pintor, un escritor, alguien de la bohemia más exquisita. A un nivel más general, esta carta habla de renacer, de un despertar emocional, o bien del comienzo de una relación. En cualquier caso, un acontecimiento dulce y feliz.

CABALLO DE COPAS

El joven romántico, idealista, soñador, protector de los indefensos y excelente amante. Amable, atípico y lleno de ideas. Su hipersensibilidad y su hiperempatía lo pueden llevar a la inestabilidad emocional y a los cambios bruscos de humor. Una interpretación más general de la carta indicaría la necesidad de encontrar el equilibrio entre idealismo y pragmatismo, entre realismo y poesía.

REINA DE COPAS

La reina de copas es la reina de corazones, la mujer imaginativa, compasiva y generosa. La consejera, la terapeuta, la madre universal que protege a los indefensos y ama a los animales. Desborda amor y empatía y siente inclinación por las artes y el misticismo. Es apasionada y se guía siempre por su intuición. En el ámbito general, esta carta te aconseja que te empapes del espíritu de la reina y escuches a tu corazón. Si algún asunto te preocupa, mira hacia tu interior y examina tus sentimientos al respecto.

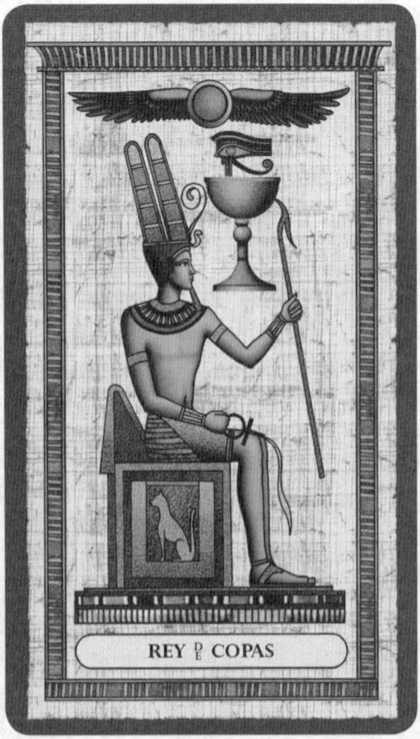

REY DE COPAS

Hombre amable, devoto de los suyos. Su energía es masculina y poderosa, pero no por ello exenta de dulzura y sensibilidad. Es sabio y tolerante porque ha alcanzado la serena madurez, no juzga, escucha y comprende y, aunque sincero, es cuidadoso. Excelente oyente: serán muchos los que acudirán a él en busca de consejo. La interpretación no personal, de nuevo, apunta a la conveniencia de emular estos atributos.

Las espadas

Su elemento es el aire. Es el palo de lo mental, del intelecto, del saber y la enseñanza. Su interpretación también se asocia con conflictos y situaciones problemáticas (justicia, castigo).

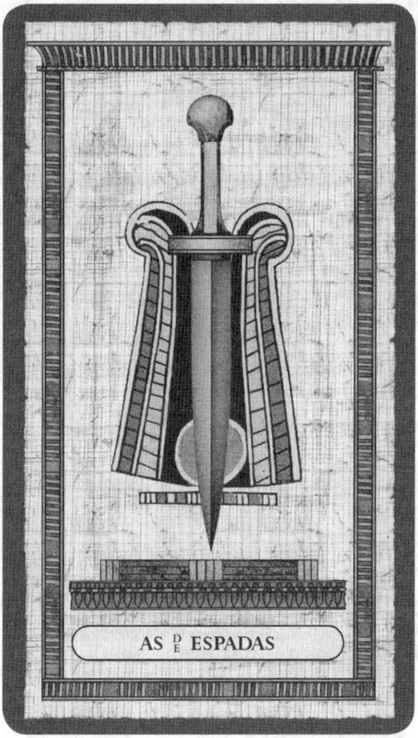

AS DE ESPADAS

El estratega. La mente analítica y lógica tremendamente poderosa, un arma casi invencible. El as de espadas simboliza la fuerza intelectual y asegura la victoria en cualquier proyecto, sea del ámbito que sea. Decisiones lúcidas, pensamientos atinados y voluntad.

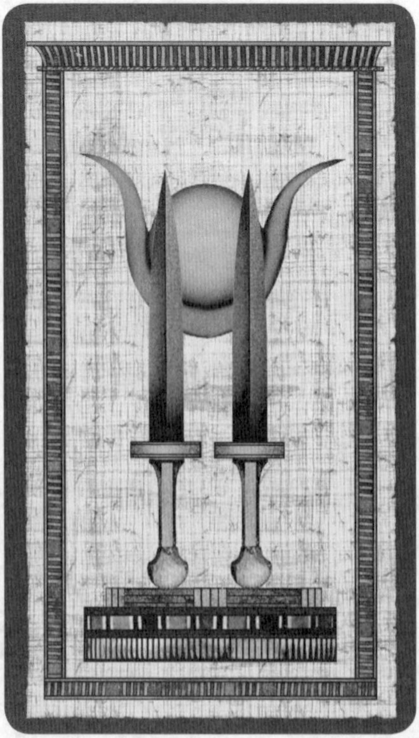

DOS DE ESPADAS

Calma inquietante que anuncia tormenta. Sobrevuela una amenaza. Antagonismo, rivalidad, habrá batalla. Debes mantener la mente clara y encarar al enemigo (sea este real o se trate de un demonio interior). También puede referirse a un dilema, a una encrucijada: «¿Cuál de las dos espadas escogeremos para el combate?».

TRES DE ESPADAS

La espada corta, hiere, sobre todo cuando el embate es a traición. Este arcano habla de engaño, de deslealtad, de corazón roto. Habrá lágrimas y habrá dolor. Cuando el que empuña la espada es un amigo o un amor, el dolor es aún más agudo, todo nuestro mundo parece derrumbarse. O tal vez sea el propio consultante el que esté apuñalando por la espalda a alguien confiado...

CUATRO DE ESPADAS

En todas las cartas de espadas flota una cierta tensión. Son arcanos que, en mayor o menor medida, anuncian situaciones complicadas. El cuatro, sin embargo, nos da un respiro, y no porque presagie acontecimientos felices o bienaventuranzas sino porque habla de buscar la paz y el sosiego. Es el descanso del guerrero. Es necesario hacer un alto, ya sea para reflexionar, para sanar o para retomar fuerzas antes de la siguiente batalla.

CINCO DE ESPADAS

Vuelven las heridas de combate. Alguien está abusando de nosotros y ha llegado el momento de poner límites. Tal vez nos hayan humillado o herido intencionadamente, o seamos víctimas de la maledicencia y las calumnias; esta carta aconseja no buscar venganza sino simplemente apartarse, alejar a quien así actúa de nuestras vidas y buscar mejor compañía.

SEIS DE ESPADAS

Es una carta de alivio, ya sea en el plano físico, emocional o mental. Tras una etapa convulsa, vuelve la calma. Lo peor ha pasado, los problemas que parecían insalvables van quedando atrás. Es el fin de una crisis y el momento de asimilar las enseñanzas que esta haya podido aportarnos.

SIETE DE ESPADAS

El siete de espadas es una carta oscura. Habla de ocultamiento, de comportamiento inmoral, incluso ilegal. Tal vez el consultante, mal aconsejado o por inconsciencia, esté involucrándose en algo turbio. Sin llegar a esos extremos, puede indicar también que se está eludiendo alguna responsabilidad o que se está emprendiendo un proyecto sin futuro. En cualquier caso, es una carta que nos aconseja reflexionar sobre nuestro comportamiento.

OCHO DE ESPADAS

El callejón sin salida. El consultante está paralizado por el miedo, completamente bloqueado; siente que no tiene opciones, no confía en sus fuerzas. La situación es objetivamente preocupante (deudas, paro, relaciones tóxicas, una adicción...), pero las espadas son el palo del intelecto y solo reflexionando con lucidez podrás dar con el origen y la solución. No puedes dejarte vencer por el pánico y la frustración. No te aísles, no te repliegues; quizás un consejo o una opinión sabia puedan ayudarte a desbloquear tu mente y así encontrar la salida.

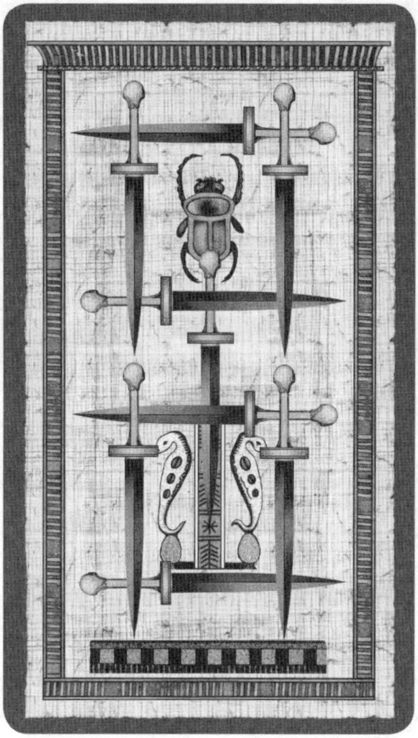

NUEVE DE ESPADAS

El filo de la espada no nos atraviesa desde fuera como anunciaba el tres de espadas; esta vez nos rasga desde dentro. Angustia, ansiedad, culpa... Hay que salir de esa tortura mental y buscar soluciones. La mente puede ser nuestra peor enemiga y si no paras los pensamientos negativos, ellos te pararán a ti. Enfoca tu energía y afronta aquello que te atormenta.

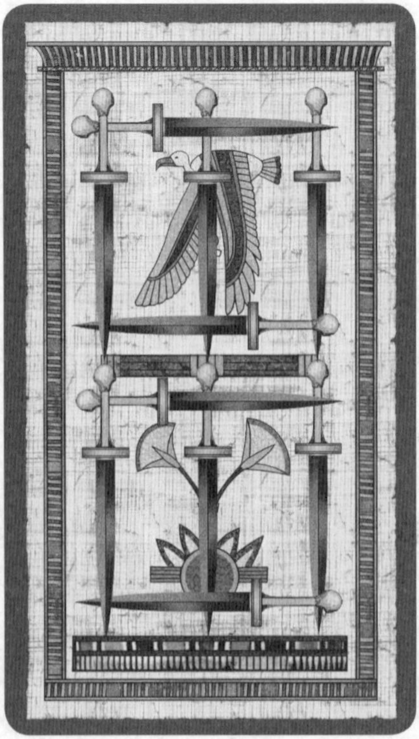

DIEZ DE ESPADAS

La peor carta del peor palo. Es la carta de los que tocan fondo. Ruina, final infeliz, destrucción, pérdida, derrota... Nuestros planes no han funcionado y estamos al límite de nuestras fuerzas. El fracaso al que se enfrenta el consultante, sea cual sea el ámbito, es tan doloroso que puede provocarle una depresión. Poco se puede aportar para suavizar el mensaje de esta carta; el único consuelo es recordar que el momento más oscuro de la noche es justo cuando está a punto de amanecer.

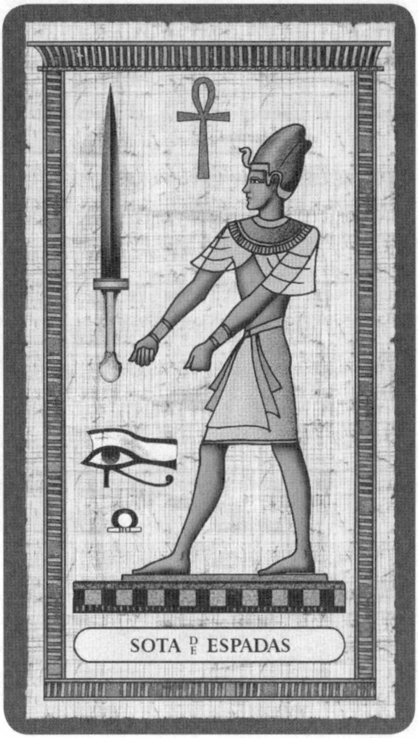

SOTA DE ESPADAS

Representa a una persona joven, rebelde e inquieta, llena de curiosidad, alguien muy mental, amante de los retos intelectuales. En un sentido más general, habla justo de eso, de retos, de desafíos. Quizás el consultante deba enfrentarse a un conflicto que pondrá a prueba su inteligencia.

CABALLO DE ESPADAS

Joven sagaz, excelente conversador, pero con tendencia a la arrogancia. Posee gran capacidad analítica y es muy inteligente. Emocionalmente, sin embargo, es frío y suele mostrarse duro e impaciente con personas más lentas, menos brillantes. Esa frialdad emocional lo libra del miedo. En un sentido más general, precisamente ese puede ser el consejo: el momento requiere frialdad; en las circunstancias dadas hay que aliarse con la mente, no con el corazón.

REINA DE ESPADAS

Mujer sincera, incluso puede llegar a ser dura en pos de la autenticidad. Detesta la mentira y las medias verdades, y es muy difícil engañarla o engatusarla. Su actitud puede generar tensión en ambientes donde imperan las apariencias y lo políticamente correcto. Si no se refiere a una persona concreta, esta carta en la tirada está aconsejando sinceridad para con los demás y para con uno mismo.

REY DE ESPADAS

Un hombre tremendamente inteligente pero, a diferencia del joven simbolizado en el naipe del caballo, el monarca no es arrogante ni displicente. En una situación caótica, su consejo es definitivo, su mente preclara siempre da con la salida. Es todo un ejemplo de honorabilidad y pensamiento ecuánime. Si no se refiere a una persona, es una invitación a cultivar en uno mismo las cualidades aquí señaladas.

Los oros

Están relacionados con el elemento tierra y rigen todo lo vinculado con asuntos materiales y cuestiones prácticas (el entorno físico, la situación económica...).

AS DE OROS

El gran círculo dorado que preside el naipe y desde el que nos observa el ojo de Horus irradia tanta energía como el mismísimo astro rey. Carta excelente que asegura prosperidad y éxito. Esa única moneda simboliza un sí enorme, un sí a todo, sea cual sea la pregunta. El consultante puede estar tranquilo especialmente en lo que se refiere a asuntos financieros.

DOS DE OROS

Demasiados asuntos entre manos, demasiadas pistas en tu circo (tal vez dos trabajos o una intensa vida familiar unida a una actividad laboral frenética; quizás varios proyectos en marcha). Que todo funcione como es debido requiere un enorme esfuerzo. No es una carta negativa porque indica que tienes la situación bajo control, pero sí es un aviso: no podrás mantener ese ritmo mucho tiempo, tendrás que elegir, priorizar y soltar lastre.

TRES DE OROS

Ha llegado el momento de emplearse a fondo, de trabajar duro, de sacar la máxima productividad a tu talento. La buena noticia es que si lo haces, el éxito está asegurado, la cosecha será abundante y de primera calidad. Además, indica que disfrutarás haciéndolo y que la satisfacción del trabajo bien hecho será parte importante de la recompensa.

CUATRO DE OROS

La seguridad económica se ha convertido en el objetivo prioritario del consultante, hasta el punto de que quizás esté dispuesto a renunciar a sus ideales, a sus sueños, a sus principios o a su vocación. La carta anuncia que la salud financiera se alcanzará, pero que si algo importante se ha sacrificado en el camino, tal vez la sensación de vacío impida disfrutarla. El cuatro de oros invita, pues, a la reflexión. También puede indicar que el consultante se ha tornado demasiado materialista, avaricioso, incluso mezquino.

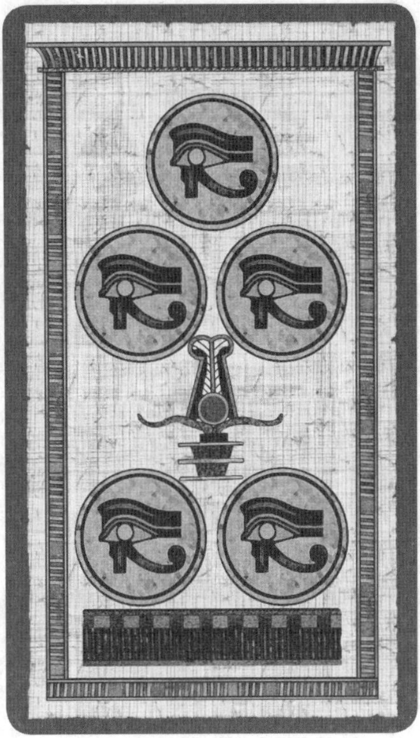

CINCO DE OROS

En los Arcanos Menores, sea cual sea el palo, la quinta carta nunca es portadora de buenas noticias. En el caso de los oros, presagia todo tipo de dificultades materiales: negocios que se truncan, deudas, despido, importantes gastos imprevistos... Vienen tiempos duros, hay que añadir unos cuantos agujeros al cinturón. En cualquier caso, se trata de una racha; la clave está en aguantar el tirón, sin abrirnos más zanjas, y revisar qué es lo que hemos hecho mal o qué debemos ajustar.

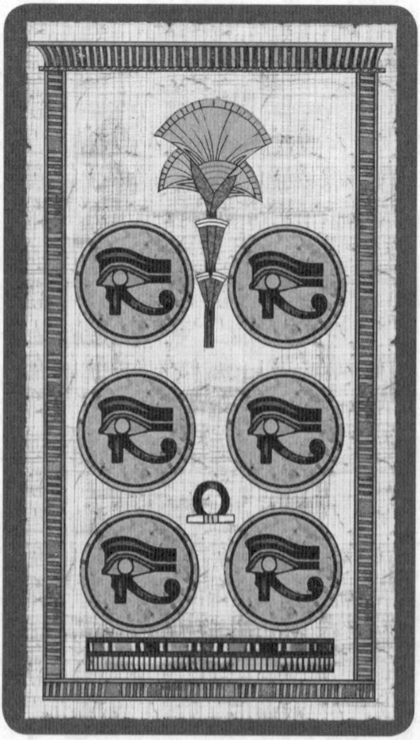

SEIS DE OROS

Llega el séptimo de caballería, ¡estamos salvados! Una herencia, un préstamo desinteresado, una proposición para un negocio rentabilísimo... Somos un imán para el dinero. Es un buen momento, pues, para jugar a la lotería y para inversiones a corto plazo. Y en contrapartida es también excelente momento para la generosidad y el altruismo.

SIETE DE OROS

Días de balance e inventario. Desde la tranquilidad de una situación estable, es bueno parar de vez en cuando y replantearse objetivos, reevaluar metas, al tiempo que se disfruta de lo hasta ahora conseguido. Reflexión y sosiego. Recapitulación y consolidación.

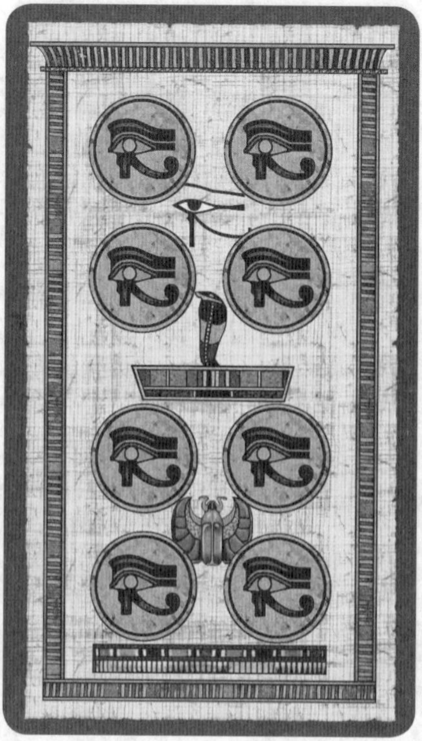

OCHO DE OROS

El placer de aprender, de seguir creciendo. Como dijo el filósofo, «la felicidad no es hacer lo que uno ama sino amar lo que uno hace», así que alimenta ese amor y disfruta del camino. La pasión es el motor más potente y sofisticado. Siguiendo esta línea, este arcano también puede estar indicándote que salgas de un trabajo alienante que no te motiva y en el que te estás marchitando. Si ahora no es posible abandonarlo, canaliza tu energía en aprender y descubrir nuevas rutas: ellas serán las que algún día te conducirán a ese trabajo estimulante con el que sueñas.

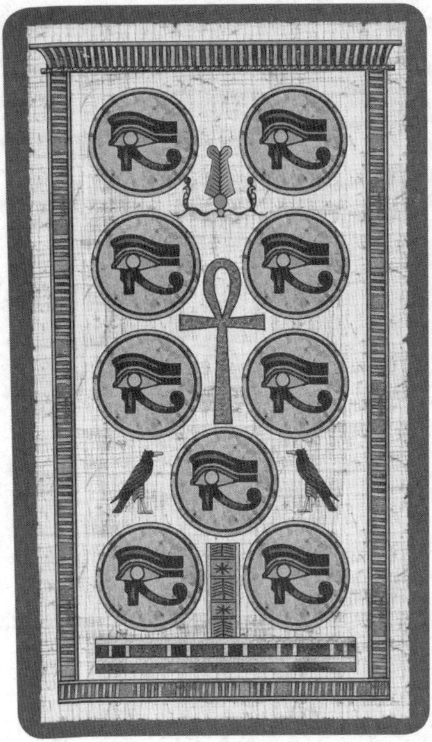

NUEVE DE OROS

Es la carta de la calidad de vida, del bienestar, del entorno armónico, de la belleza. Sin ostentación, sin excentricidades costosas y absurdas. Disfrutar serenamente de lo que el dinero puede proporcionarnos es lo que da sentido a nuestro esfuerzo. El consultante ha conseguido el equilibrio: una situación financiera holgada sin sacrificar el tiempo libre para disfrutar de las delicias de la vida. Además, esta carta nos recuerda que para que el disfrute sea auténtico es necesario compartirlo. Rodéate de belleza, armonía y buena gente. Te lo has ganado.

DIEZ DE OROS

¡Money, money, money! Carta excelente en lo que a economía se refiere. Si emprendes un negocio, será rentable; si estabas esperando beneficios de alguna inversión, llegarán en mayor cantidad de la esperada. Es la carta del éxito definitivo en el plano material. Los problemas financieros ya son historia. Y la bonanza económica repercutirá favorablemente en la vida personal. Satisfacción y seguridad en el entorno familiar.

SOTA DE OROS

Joven emprendedor. Intrépido pero muy responsable. Representa la capacidad de asombro y la curiosidad del estudiante; personifica a aquellos que disfrutan del trabajo porque mantienen como adultos el sentido lúdico que tuvieron de niños. En un plano general, puede indicar nuevas oportunidades, perspectivas que llenarán de entusiasmo al consultante.

CABALLO DE OROS

Joven serio, disciplinado y perseverante. Muy trabajador y digno de confianza. La originalidad y la creatividad no son sus fuertes, pero no son cualidades indispensables en los ámbitos profesionales en los que se mueve. La tenacidad y el trabajo bien hecho lo conducen al éxito. En un sentido más general, la carta indica al consultante que si desea conseguir sus objetivos, debe perseverar y disciplinarse.

REINA DE OROS

Mujer práctica, realista y organizada. Vive con los pies en la tierra y es una profesional de éxito con una holgada situación económica. Es generosa y no dudará en ayudar a quien acuda a ella. Si no representa a una persona concreta, su aparición en la tirada nos aconseja acometer los retos y solucionar los problemas desde el realismo y el sentido común. No es momento de creer en la magia ni de esperar milagros.

REY DE OROS

Persona influyente que será de gran ayuda para el consultante. Un hombre terrenal que conoce el funcionamiento del mundo real. Es organizado, un hábil administrador. Ha triunfado en los negocios que ha emprendido y ahora disfruta guiando a otros. Podría tratarse de un inversionista. Una lectura más general habla de estudiar en profundidad y con la mente despejada cualquier proyecto, antes de lanzarse a una aventura empresarial. Y de cuidar cada detalle de los negocios ya emprendidos, atenderlos personalmente.

Al interpretar las cartas, deberás tener en cuenta el palo y su número o nombre, al igual que tu reacción intuitiva y emocional ante su diseño. En tu interpretación final deberás utilizar cada uno de estos componentes, pero no solo ellos. La pregunta y la posición de la carta dentro de la tirada juegan también un papel importante.

Algunos tarotistas prescinden en sus tiradas de los Arcanos Menores, y otros utilizan unos y otros por separado, sin mezclarlos nunca, dependiendo del objeto de la consulta: si es una pregunta de ámbito cotidiano, emplean los menores y si se trata de algo más profundo, más relacionado con el «ser» que con el «estar», optarán solo por los mayores. En mi opinión son complementarios y su naturaleza esencial no difiere tanto como puede parecer. Los menores son utilísimos para matizar, aclarar y ampliar el mensaje de los mayores, que tan a menudo puede resultarnos ambiguo y encriptado.

Dado que ya posees bastante información para dar significado a cada una de las cartas, tal vez sea conveniente que dediques ahora un tiempo a ellas, recibiendo tu primera impresión y quizá tomando algunas notas acerca de las ideas que te vengan. O puede que desees ponerte sin más a realizar lecturas...

Leer el tarot

Leer el tarot es una experiencia muy personal. Cada lector tiene su propio estilo, influenciado por sus creencias, su conocimiento y su habilidad. El tarot habla y cada arcano contiene un mensaje específico aunque por supuesto adaptable e interpretable a través de la intuición. Incluso la persona que lee el tarot por primera vez experimenta una relación significativa y práctica con las cartas.

Los símbolos no nos son ajenos en absoluto. Quizás esta palabra te suene solemne, lejana, y sin embargo lo cierto es que vivimos rodeados de símbolos. ¿Qué crees que son nuestro nombre, nuestro apellido, los juguetes, los logos...? Son símbolos cotidianos e imprescindibles, mucho más ahora en la era de la comunicación y las redes sociales. De hecho, el idioma más antiguo tuvo que ser simbólico: la mitología, las tradiciones tribales, los sueños son símbolos a través de los que el hombre trata de comprender el universo y de comprenderse a sí mismo. Así que lo que estás a punto de aprender, en realidad, es algo que llevas haciendo desde siempre, que tu especie lleva haciendo desde sus primeras horas. Solo necesitas confiar y disfrutar.

Antes de seguir leyendo, puedes formular una pregunta, sacar una carta, mirar la imagen y hallar la respuesta. No obstante, cuanto más sepas, más profundas y más fáciles serán tus lecturas.

Este capítulo te enseñará cómo desarrollar tus habilidades de interpretación, mostrándote cómo el significado de una carta está formado por diferentes elementos. También recibirás indicaciones sobre cómo realizar una lectura. Pero recuerda: leer el tarot siempre es algo personal. A medida que practicas y adquieres cada vez más experiencia, descubrirás lo que te funciona y lo que no.

La lectura del tarot se basa en la interpretación de las cartas a fin de hallar la respuesta a una pregunta concreta. Son muchos los factores que afectan al significado de cada arcano. Citaré unos cuantos:

- Tu respuesta emocional ante la imagen.
- Tu intuición.
- El contexto.
- El nombre de la carta.
- El significado tradicional.
- La interpretación artística (la intención del pintor y su idea de la carta en cuestión).
- La pregunta.
- La posición de la carta dentro de la tirada.

La lectura es el proceso de utilizar las cartas del tarot para averiguar una respuesta o respuestas. Puede ser tan sencilla o tan elaborada como tú desees. En esta sección te daré los elementos básicos para realizar una lectura sencilla. Después compartiré contigo algunas ideas que tal vez desees incorporar en tus lecturas o que quizás te inspiren a definir tus propias ideas.

Mi intención es guiarte hacia una lectura creativa, positiva y lúdica (no por ello superficial). Abre tu corazón y tu mente porque voy a mostrarte un don que quizás no sabías que poseías. Cuando lo reconozcas y lo despiertes, podrás no solo desvelar episodios venideros sino también, y esto es mucho más importante, hallar la salida a situaciones angustiosas o preocupantes o dar consejo sabio y balsámico a quien acuda a ti y a tu baraja. Porque aparte de su poder adivinatorio, estas cartas contienen poder espiritual. A partir de ahora será tu espejo mágico. En el tarot está toda tu biografía: tus amigos, tus enemigos, tus sueños, tus frustraciones, también tus tentaciones y tus caídas, y por supuesto, tus metas y tu origen.

Empezaré por enumerar los pasos básicos. Son obvios pero es bueno recordarlos y son todo lo que necesitas para realizar una tirada. No obstante, las posibilidades de hacer el proceso más elaborado son casi infinitas. Ahí van:

1. Decidir la pregunta.
2. Elegir una tirada.
3. Barajar.
4. Colocar las cartas en la posición de la tirada.
5. Interpretar cada carta individualmente.

6. Partiendo de las interpretaciones de cada carta, sintetizar la información que nos da la tirada en su conjunto.

LA PREGUNTA

Es muy importante realizar la pregunta adecuada, pues de ello dependerá la forma y calidad de la respuesta. Pero la expresión «pregunta adecuada» tiene trampa. Cada uno tiene su propia idea acerca de cuál es la mejor forma de preguntar. Antes de hacerlo, sería conveniente tener en cuenta los siguientes puntos:

No preguntes si no deseas saber

De verdad. Imagina todas las posibles respuestas a tu pregunta. Buenas, malas y regulares. ¿Cómo te sentirías si la respuesta fuera mala? Si estás preparado para saber, independientemente de la respuesta que recibas, puedes preguntar. De no ser así, mejor espera a estar preparado.

¿Crees que el futuro está predeterminado?

Si vas a preguntar a las cartas acerca de algo que va a ocurrir en el futuro, podría pensarse que crees que tu futuro es algo fijo o predeterminado, que no tienes libre albedrío y que no puedes variarlo, es decir, que crees que aquello que tiene que pasar va a pasar. Esta creencia tendrá un efecto en la forma en que realices la pregunta. Es muy posible que preguntes: «¿Me casaré?», en lugar de: «¿Qué puedo hacer para atraer a mi vida una relación amorosa?».

¿Crees que posees un control total sobre tu futuro?

Esto es justo lo contrario de la creencia anterior. En este caso tus preguntas acerca del futuro seguramente se enfocarán hacia qué acciones deberás tomar para crear aquello que deseas. Tal vez preguntes: «¿Qué puedo hacer para hallar el trabajo de mis sueños?», en lugar de: «¿Encontraré trabajo alguna vez?».

¿Crees que posees algún tipo de control sobre tu futuro, aunque algunas cosas se escapan a ese control?

Este es un enfoque mixto y muy común. Si crees que tienes bastante control sobre tu vida pero también que hay algunos aspectos que no puedes controlar, harás preguntas distintas. Quizás hagas una pregunta múltiple, como por ejemplo: «¿Qué necesito saber sobre el mercado laboral y qué debo hacer para encontrar la ocupación adecuada para mí?».

La pregunta es importante. No solo refleja tus creencias y da forma a la respuesta, sino que también afecta a la manera en que vas a interpretar las cartas. Por ejemplo, en una lectura sobre un romance, alguien inclinado a creer que el futuro está predeterminado tal vez interprete la carta de La Muerte como el final de la relación. Otra persona más propensa a pensar que posee control sobre su vida posiblemente interprete esta carta como una oportunidad de transformar una situación que se ha estancado. En una lectura, la persona experimenta algo; en la otra, la persona hace algo.

Como habrás podido observar, mi consejo es plantear preguntas que requieran mucho más que un sí o un no. Para eso casi bastaría con lanzar una moneda al aire y, como te he dicho, el tarot quiere hablarte, hablarte largo y tendido si es preciso, y que seas tú el que penetre luego por esa puerta que se entreabre. Así pues, que tu pregunta sea amplia y prometedora.

En cuanto al tema de la consulta, como curiosidad te contaré que hay tarotistas que hilan muy fino y recomiendan plantearla el día de la semana que corresponde al astro que rige el asunto en cuestión. Aquí te dejo días, astros y asuntos por si quieres incluir esta «regla» en tu propia metodología:

- Sol (dominio). Domingo. Asuntos relacionados con el poder, con las jerarquías, con la posición social.
- Luna (sentimiento). Lunes. Relaciones, sueños, desconfianza, artes plásticas.
- Marte (empresa). Martes. Conflictos, negocios, deudas, asuntos relacionados con tribunales.
- Mercurio (intelecto). Miércoles. Cualquier cuestión que tenga que ver con el plano mental.
- Júpiter (sabiduría). Jueves. Cualquier asunto vinculado con estudios o educación, sobre intermediarios, filantropía y viajes al extranjero.
- Venus (emoción). Viernes. Amor, matrimonio, placer, mujer.
- Saturno (experiencia). Sábado. Propiedades, tierras, ley de causa y efecto, responsabilidades.

BARAJAR, CORTAR Y EXTENDER

Antes de comenzar la lectura es necesario barajar las cartas. Hay muchas formas de hacerlo. Puedes utilizar cualquiera de las que se usan en los juegos de cartas normales.

Algunos lectores de cartas extienden todo el tarot boca abajo sobre la mesa y las mueven con las palmas de las manos, para recogerlas seguidamente.

Jugando a las cartas se corta para evitar trampas. En la lectura del tarot el corte es simplemente parte del ritual. Divide el mazo en dos o más montoncitos y luego únelos en un orden distinto al que tenían inicialmente. Muchos lectores lo hacen con la mano izquierda (si son diestros) o con la derecha (sin son zurdos).

Al extender las cartas una a una tomándolas del mazo y poniéndolas en la posición que ocupan según la tirada elegida, se pueden tomar de la parte superior del mazo o bien de la parte inferior. También puedes hacer con las cartas una especie de abanico y tomar directamente las que necesites.

Si realizas la lectura para otra persona, deberás decidir antes si solo tú barajas las cartas, si las baraja la otra persona o si las barajáis los dos. Y lo mismo con el corte. Hay lectores de cartas que no permiten que nadie toque su tarot. Otros, por el contrario, consideran que es importante que la baraja capte la energía del consultante.

Algunos prefieren extender las cartas boca arriba, mientras que otros se sienten más cómodos extendiéndolas boca abajo. Ponerlas boca abajo tiene la ventaja de crear un cierto sentido de misterio e incluso de drama, cuando luego se van revelando una a una. Al mismo tiempo se evitan las distracciones generadas por las otras cartas que se interpretarán posteriormente. Ponerlas boca arriba tiene la ventaja de permitirte ver el conjunto de la lectura, lo cual te da una información general, muy valiosa antes de proceder a interpretar carta por carta.

Como he dicho, partiendo de estos pasos básicos el proceso es libre y dependerá mucho de la relación que vayas estableciendo con tu baraja. Para mí, por ejemplo, es muy importante un paso que no he incluido entre los básicos: siempre antes de acometer la tirada, extiendo los naipes boca abajo sobre la mesa y los revuelvo con movimientos circulares. Es un momento de contacto y concentración en el que respiro pausada y conscientemente y voy entrando en un estado de serenidad mental. La mente, charlatana y en continuo movimiento, que salta caprichosa y desordenada hacia futuro y pasado, impide que aflore la intuición, así que dedico este momento a acallarla, a neutralizarla (pero sin forzar ya que eso provoca el efecto contrario). Es algo así como un momento meditativo. Si la consulta me la hace otra persona, la invito a que lo haga –estoy en el grupo de aquellos que consideran indispensable que la baraja capte la energía del consultante. Es importante que este palpe las cartas desde ese estado mental antes de seleccionarlas una a una para la tirada.

LA TIRADA

La tirada es la forma en que se extienden las cartas para realizar una lectura. Existen multitud de tiradas, que fueron diseñadas para diferentes tipos de lecturas. Al final de este libro te doy unas cuantas a modo de muestra. Hay libros especializados que tan solo contienen tiradas. Y también en Internet puedes encontrar muchos ejemplos gratis. Y, por supuesto, nadie te impide inventar tus propias tiradas.

Haré un inciso para remarcar un punto importante con respecto a la tirada, o mejor dicho, con respecto a la selección de las cartas que ocuparán cada posición. La selección sería el paso inmediatamente posterior al momento que te comentaba antes en el que palpamos las cartas y las revolvemos en círculos mientras nos relajamos y buscamos la calma mental, el estado intuitivo. Es importante –yo diría que imprescindible– que el consultante (seas tú o quienquiera que acuda a ti) se tome su tiempo. En ese estado meditativo y enfocado, las cartas «hablarán» y el consultante sentirá cuál de ellas ha de ser tomada. Te aseguro que si su estado es el adecuado, lo sabrá. Lo experimento siempre que hago una lectura, y cada vez la sensación es más clara. Es un hecho fascinante: aunque el reverso de las cartas es idéntico en todas ellas, algo me hace fijarme sin sombra de dudas en una en concreto.

Las distintas posiciones dentro de una tirada tienen cada una un significado concreto. Por ejemplo, en una de las tiradas más sencillas, de tres cartas, sería así:

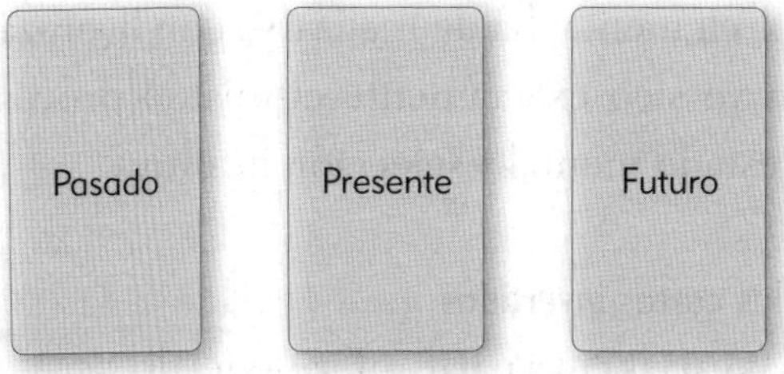

La primera carta representa lo que ocurrió en el pasado; la segunda, la situación actual, y la tercera, lo que ocurrirá (o puede ocurrir) en el futuro. En esta tirada es fácil ver cómo la posición de cada carta afectará sutilmente a su interpretación.

Esta es otra variante de la tirada de tres cartas:

En este caso el efecto es menos sutil. Leer el consejo que nos da una carta (posición 2) es diferente a leerla como posible resultado (posición 3). Como consejo, la carta de La Luna puede leerse como «confía en tus sueños», o bien «no lo cuentes todo». Como resultado, sin embargo, puede ser leída como «ten cuidado con las ilusiones y los engaños».

Estos ejemplos recogen las tiradas más básicas; en tiradas más complejas, con mayor número de posiciones, la lectura es más profunda, o cuando menos más concreta, más matizada. El otro extremo sería la tirada de una sola carta, que no por elemental ha de realizarse con ligereza. Para esta minitirada yo sigo exactamente el mismo proceso de búsqueda de estado mental y selección intuitiva.

Acerca de las cartas invertidas

Son las cartas cuya parte inferior del diseño queda arriba al realizar la tirada, como se observa en la imagen.

Acerca de las cartas invertidas, los lectores del tarot tienen opiniones diversas. Algunos no las interpretan de forma distinta, sino que simplemente les dan la vuelta y siguen con la lectura normal. Hay quien las considera como si estuvieran en posición normal, pero concediéndoles una atención especial, interpretándolas como si estuviesen bloqueadas o reprimidas. Otros las mantienen invertidas y les dan una interpretación distinta a la que tendrían en caso de estar en su posición normal, o incluso le confieren un significado totalmente opuesto al que tendrían normalmente. Algunos tarots han sido diseñados teniendo ya en cuenta el significado de la carta inversa, a fin de facilitar su lectura.

Si deseas incorporar las cartas invertidas en tu proceso de interpretación, hay varias técnicas que puedes utilizar. El libro de Mary K. Greer *Complete Book of Tarot Reversals* trata este tema en profundidad y da diversos métodos de interpretación de las cartas invertidas.

MÁS ALLÁ DE LO BÁSICO: LOS RITUALES

Los rituales no forman necesariamente parte de la lectura. Sin embargo, hay buenas razones para incorporar un ritual o dos en tu práctica de leer el tarot. En nuestra vida cotidiana abundan las distracciones. Incluso el ritual más sencillo es una forma de aquietarnos, centrarnos y enfocarnos en lo que estamos haciendo. Para algunos leer el tarot es establecer una conexión o una comunicación con la divinidad. Esta comunicación se realiza siempre mejor con una mente abierta, cuando la lógica cotidiana está en calma y la mente intuitiva se halla activada. Realizar un ritual antes de la lectura permite que la mente adopte la disposición adecuada. Si haces la lectura para otra persona, el ritual ayuda a que también ella se tranquilice, se centre y se enfoque. Además, hace que esté más abierta a recibir el mensaje.

Los rituales pueden ser tan elaborados o tan sencillos como tú quieras. Pueden consistir en un acto o en una serie de acciones. Te doy seguidamente una lista de lo que hacen algunos lectores de tarot. Puedes probar algunos de ellos, solos o combinados, y ver cómo te sientes y si crees que son adecuados para ti:

- Extender un paño especial sobre el que depositar las cartas al hacer la lectura.
- Barajar y cortar las cartas siempre del mismo modo.
- Con los pies sobre el suelo, juntar las manos en el regazo, cerrar los ojos y centrarse.
- Encender una vela.
- Poner alguna música especial.
- Pronunciar una oración o una afirmación.
- Encender algún incienso.

Eso en lo que se refiere al «antes», porque en lo que se refiere al «después» también tengo un par de sugerencias:

Limpieza poslectura

Limpiar tu tarot es como hacer un ritual, la diferencia es que se realiza después de la lectura, no antes. Se trata de, simbólica y energéticamente, eliminar de tus cartas cualquier influencia y dejarlas en un estado neutro. Puedes ver las cartas una por una y corregir las invertidas, ponerlas todas en un orden determinado o perfumarlas con algún incienso. Es bueno guardar las cartas junto a un cuarzo rosa o de color claro. En la luna llena es conveniente dejar el tarot en el alféizar de la ventana (¡por dentro!).

Llevar un diario

Muchos lectores de tarot registran sus lecturas en un diario. Para ellos, es un importante instrumento de aprendizaje. Manteniendo un registro de tus lecturas puedes luego repasarlas y ver la relación entre lo que tú leíste y cómo evolucionó posteriormente la situación consultada. Podrás comprobar si tus interpretaciones fueron certeras o si pasaste por alto algún significado importante.

Otra forma de llevar un diario es seleccionar cada día una carta y utilizarla como inspiración, registrando las ideas que te vengan en tu diario. Para ello se suele establecer un tiempo límite –puedes comenzar con cinco minutos– y escribir sin preocuparte de la gramática, la ortografía o cualquier otra norma. Simplemente anota los pensamientos que te inspire dicha carta. Tras esta escritura libre, anota lo que ya sabías sobre su significado, e incorpora cualquier intuición o conocimiento que esa escritura libre te haya aportado.

Llevando un diario, registrarás tus intuiciones, revelaciones y descubrimientos. De vez en cuando, reléelo. Te sorprenderá.

ANÁLISIS Y LECTURA

Escaneando con la vista la tirada (si las cartas ya están boca arriba), te formarás una primera opinión general de ella. Ya sabes que los distintos grupos de cartas del tarot tienen significados especiales. Para ello utilizas todos tus conocimientos de la estructura básica del tarot. Los Arcanos Mayores representan sucesos importantes en la vida de la persona; las copas, emociones y relaciones; los ases, nuevos comienzos, etc.

Hay otras muchas cosas que observar. Si aparecen bastantes figuras de la corte, ello podría indicar que en la situación está involucrada mucha gente. El caballo puede significar que la situación está evolucionando con rapidez (especialmente si aparece junto a un ocho de bastos). Los ases, los doses y los treses pueden mostrar que la situación se encuentra en sus fases iniciales. Los cuatros, cincos y seises, que se halla en la mitad. Los sietes, ochos y nueves, que la solución está ya cerca. Y el diez muestra el final de la situación o de un ciclo. Al extender la tirada, fíjate en los Arcanos Mayores, en los palos y en los números o figuras de la corte. Puedes igualmente fijarte en los colores, símbolos o imágenes que se repitan y ver qué es lo que ello estimula en tu intuición.

Supongamos que estás realizando una lectura acerca de una relación y en ella aparecen muchas espadas, ninguna copa y algunos cuatros. En este caso, es evidente que las cosas no van bien, hay problemas y posiblemente la situación esté estancada. Al interpretar cada una de las cartas según su posición, se te revelarán más detalles.

ALGUNAS TIRADAS

LA GRAN CRUZ CELTA

Todo un clásico y perfecta para los inicios. Es un sistema claro y sencillo que te servirá de entrenamiento antes de

acometer tiradas más complejas. Se realiza solo con Arcanos Mayores.

- La carta primera es la de la izquierda (del lector) e indica lo que el consultante tiene a su favor (siempre en referencia a la consulta). Pueden ser virtudes personales, aspectos circunstanciales...
- La carta segunda es la de la derecha (del lector) y señala lo que tiene en contra: enemigos, barreras, debilidades...
- La carta tercera es la de arriba e indica el camino que se ha de seguir, la aptitud que es necesario adoptar para conseguir el fin.
- La carta cuarta es la de abajo e indica la solución.
- La carta quinta es la central y puede considerarse como la síntesis o la clave de la consulta.

Existe otra versión de la gran cruz que incluye cuatro cartas más.

Las cinco cartas que repiten esquema tienen una interpretación similar a las de la gran cruz clásica, pero con ciertos matices y cambiando posiciones:

- La carta primera es la del centro y representa al consultante.
- La carta segunda es la de abajo y simboliza sus aspiraciones inmediatas.
- La carta tercera es la de arriba y habla del futuro.

- La carta cuarta es la de la izquierda y equivale a la primera de la gran cruz celta, es decir, indica lo que se tiene en contra: enemigos, barreras, debilidades...
- La carta quinta es la de la derecha y equivale a la segunda de la gran cruz celta, por lo que indica el camino que se ha de seguir, la aptitud que es necesario adoptar para conseguir el fin.
- Las cuatro cartas que añadimos se sitúan a la derecha de la cruz (siempre según el punto de vista del lector), formando una columna.
- La carta de abajo sería la sexta e indicaría el futuro más inmediato. Siguiendo en sentido ascendente,

tendríamos la carta séptima, que representa a la familia; la octava, que se refiere a todo lo relacionado con el trabajo, y la novena, que nos mostrará, por supuesto, el resultado final.

LA PIRÁMIDE

- Las cuatro primeras cartas representan la situación actual del consultante, el presente.

- Las tres siguientes hablan de los posibles caminos que se pueden tomar; no se trata de una visión del futuro sino de una recomendación, una sugerencia para encarar dicho futuro (responden al «¿qué hago ahora?», al «¿qué pasaría si...?» en relación con las cartas de la hilera inferior).

- Las cartas octava y novena son las fuerzas que están actuando en lo que se ha consultado. Se pueden entender como las causas, el origen, el motor de los acontecimientos.
- Y por último, la décima carta representa la esencia de la situación, la síntesis.

EL MÉTODO GITANO

Es sencillísimo y quizás el que deja más espacio a la imaginación y al juego. Disfrútalo y déjate llevar por visiones y corazonadas:

- Las tres primeras cartas se refieren al pasado.

- La cuarta, la quinta y la sexta muestran el presente.
- Y la séptima, la octava y la novena..., sí, lo has adivinado (¿ves como tienes el don?), señalan el futuro.

Un poco de literatura a modo de apéndice

El tarot me fascina por múltiples razones. Creo, y espero, que la mayoría pueden adivinarse entre las líneas de este modesto manual. No me gustaría despedirme sin antes rendir homenaje a la más irresistible de todas: su enorme potencial para la fábula y la ensoñación, todo un mundo de posibilidades que me retrotrae al niño que fui. El niño curioso, lector incansable, inventor de historias y soñador que cierto día descubrió una extraña baraja.

Son muchos los autores que han tocado el palo de la cartomancia en alguna de sus obras, y muchos también los que se han referido en concreto al tarot e incluso se han embarcado en profundas investigaciones. Hoy, gracias a Internet, es fácil rastrearlos, y bucear en sus investigaciones puede ser un ejercicio realmente entretenido.

He seleccionado algunas curiosidades para traéroslas a modo de epílogo. Aquí os dejo tres poemas y un fragmento de un relato; cuatro perlas para deciros de corazón: «Ha sido un placer, ¡hasta pronto!».

Amor, bajo tu imperio toda empresa
deshace con el tiempo la fortuna.
La Muerte con su carro horrendo y oscuro
el mundo de los hombres atraviesa.
La justicia del Papa no es promesa,
y tú sabes que no hay Papisa alguna.
Dime: ¿quién con el Sol hizo la Luna?
¿Por qué rindió mi fuerza por sorpresa?
Al ermitaño tonto se aparece
el amor, como un ángel o un demonio,
en la torre y debajo de la estrella.
Emperatriz de un sueño que amanece
suspende el corazón, que el matrimonio
es un mago que encanta a la doncella...

Teófilo Folengo
(escritor y humanista
benedictino italiano)
Soneto al tarot (1527)

***

Madame Sosostris, famosa clarividente,
pescó un resfriado, sin embargo.
Se le considera la mujer más sabia de Europa
con un vicioso mazo de naipes. Aquí, dijo ella,
está su carta, el Marinero fenicio que murió ahogado.

(Estas perlas fueron sus ojos. ¡Fíjese!)
Aquí está Belladonna, la Dama de las Rocas,
la dama de los sinos.
Aquí está el hombre de los tres bastos, y luego la Rueda,
aquí el mercader tuerto, y esta carta en blanco
es algo que lleva a cuestas
y no puedo mirarlo. No encuentro
al Colgado. Tema la muerte por agua.
Veo una muchedumbre formando corro.
Gracias. Si ve usted a la estimadísima señora Equitone,
dígale que yo misma le llevaré el horóscopo:
hay que ser tan precavida en estos días.

T. S. Eliot
La tierra baldía (*The Waste Land*, 1922),
fragmento

***

Una vieja torre golpeada por la tormenta,
un ermitaño ciego de la hora.
La espada que todo destruye
aún esgrimida por el loco errante.
Seda bordada en oro sobre el acero,
belleza y locura yacían juntas.

William Butler Yeats[1]
«Símbolos» (del libro *La escalera de caracol*), 1933

1. Yeats fue miembro destacado de la Orden Hermética de la Aurora Dorada –The Hermetic Order of the Golden Dawn–, mencionada en estas páginas y de la que seguro te gustará saber mucho más...

Y como guinda, un fragmento de uno de mis relatos favoritos del gran Italo Calvino: *El castillo de los destinos cruzados*. El propio autor lo consideraba uno de sus mejores libros. Desde luego, le dedicó mucho tiempo y energía –el proceso creativo duró más de cinco años–. Lo componen dos historias entretejidas a partir de las interpretaciones de los arcanos de dos tarots diferentes: el Visconti, de rasgos renacentistas muy refinados, para *El castillo de los destinos cruzados*, y el de Marsella, quizás el más conocido de todos los mazos, mucho más tosco, para *La taberna de los destinos cruzados*:

> En ese momento, sobre la mesa recién recogida, el que parecía ser el castellano posó una baraja de naipes. Eran cartas de tarot más grandes que las de jugar o que las barajas con que las gitanas predicen el futuro, y en ellas se podían reconocer más o menos las mismas figuras, pintadas con los esmaltes de las más preciosas miniaturas. Reyes, reinas, caballeros y sotas eran jóvenes vestidos con magnificencia, como para una fiesta principesca; los veintidós Arcanos Mayores parecían tapices de un teatro de corte, y copas, oros, espadas, bastos resplandecían como divisas heráldicas ornadas de barras y campos.
>
> Empezamos por desparramar las cartas sobre la mesa, boca arriba, como para aprender a reconocerlas y darles su justo valor en los juegos, o su verdadero significado en la lectura del destino. Y sin embargo parecía que ninguno de nosotros tenía ganas de iniciar una partida, y menos aún de interrogar el porvenir, privados como estábamos de todo futuro, suspendidos en un viaje ni concluido ni por concluir. Lo que veíamos en aquellas cartas de tarot era algo distinto, algo

que no nos dejaba despegar los ojos de las doradas teselas de aquel mosaico.

Uno de los comensales recogió las cartas dispersas, despejando buena parte de la mesa; pero no las juntó en una baraja ni las mezcló; cogió una y la echó. Todos advertimos la semejanza entre su cara y la cara de la figura, y nos pareció entender que con aquella carta quería decir «yo» y que se disponía a contar su historia.

Índice